BUR
rizzoli

Beppe Severgnini in BUR

Beppe Severgnini

Italians
Il giro del mondo in 80 pizze

SAGGI

ISBN 978-88-17-03578-1

Prima edizione Rizzoli ottobre 2008
Prima edizione BUR Saggi settembre 2009

www.beppesevergnini.com
www.rcslibri.it/severgnini

Italians

A chi è partito
A chi è tornato
A chi è rimasto
(ma ci ha pensato)

Sicuramente, se la stessa vita ristretta e narcisistica di B.
era un miracolo sufficiente da poterne scrivere,
un miracolo collegato era l'esistenza,
dovunque uno andasse su una mappa,
di altre persone che vivevano altre vite.

John Updike, *Bech is Back*

The Pizza Club

Olimpiade di Pechino, ultimo giorno. Sono qui in piedi, nella spianata tra il Nido rosso e il Cubo blu, un puntino occidentale tra migliaia di cinesi che si fotografano a vicenda. Il cielo è ancora chiaro, i neon sono già accesi. È la mia personale cerimonia di chiusura. Come altre volte, sono venuto a vedere per provare a capire, e provo a capire per cercare di raccontare.

Da dieci anni – devo dire – è più facile, perché non sono solo. In ogni angolo del mondo, gli Italians mi aspettano, mi guidano, mi consigliano e mi riprendono. Ce ne sono anche qui a Pechino, domani sera ci vediamo. Ogni giorno ci ritroviamo in rete, sarà bello incontrarsi di persona. Le email possono ingannare, le facce no.

«Italians» sta per compiere dieci anni. È apparso per la prima volta su Internet giovedì 3 dicembre 1998. Se fosse un bambino, finirebbe le elementari. Essendo un forum – www.corriere.it/italians – smette d'essere un esperimento e diventa qualcos'altro. Un prodotto maturo, da sviluppare o da archiviare: vedremo. Per ora, è giusto festeggiarlo.

Ogni giorno «Italians» pubblica undici lettere e una fotografia, tra le duecento che arrivano, e alcune mie risposte. Metà dei frequentatori vivono, studiano e lavorano all'estero. Per conoscerli, farmi conoscere e farli conoscere, mi sono inventato questa storia delle pizze. Domani sera, finalmente, qui a Pechino.

È iniziata, per caso, a Londra. Un lettore ha scritto: «Quando torni qui, vieni a farti una pizza con noi?». Abbiamo esteso l'invito, e riempito un locale di Soho. Da allora – 18 ottobre 1999 – le Pizze Italians sono diventate 82, in tutti i continenti. Da Madrid a Montevideo, da Bombay a Beirut, da Kabul a Chicago, da Melbourne a Miami, da Nairobi a Napoli (unica eccezione nazionale): se arrivo in città, pizza.

Un Italian – il primo che si propone, attraverso il forum – raccoglie le adesioni, prenota, comunica luogo e orario a tutta la lista (me compreso). Ogni volta, un appuntamento al buio; e mai una delusione. Unica regola: la Pizza Italians si può tenere una sola volta nella stessa città, affinché resti un piccolo evento e il sottoscritto non si trasformi in un grosso calzone.

Questa storia delle pizze intriga molti colleghi, italiani e non. Nessun giornale al mondo, che io sappia, ha cercato di raccogliere la nuova diaspora nazionale in un luogo sociale sulla rete; e, di sicuro, nessun giornalista va a incontrarla di fronte a una margherita con funghi (ananas, a Mosca).

The Pizza Club, titolo di questa introduzione, è un suggerimento di Daniel Franklin, amico e collega dell'«Economist». L'ex direttore del settimanale, Bill Emmott, è arrivato a scrivere: «Perché andate a incontri come Davos, dove il *networking* è solo un'illusione? Andate alle Pizze Italians, piuttosto. Lì ci si conosce davvero». Confronto improponibile, ma lusinghiero (grazie Bill).

Dopo dieci anni, 82 pizzate e 40.000 lettere pubblicate (tutte indicizzate!), «Italians» è ormai qualcosa più di un forum. È diventato una parola nuova: indica la nostra emigrazione professionale, la più recente ed esuberante. Da un Erasmus (ehilà Valentina) a una cattedra universitaria (ciao Stefano, Marco, Antonella), da un ospedale (ave Alessandro) a un'organizzazione internazionale (vai Cristina), dalla conduzione di una famiglia (brava Maria Chiara) a quella di uno studio legale (come va Giovanni?), da una banca di confine (saluti Gianni) a un'ambasciata difficile (forza Ettore, Sara e Nicola), da una catena di gelaterie (salve Maurizio e Mario) al timone di una multinazionale (buongiorno Diego, buonasera Vittorio): gli Italians sono dappertutto.

Scrivono, raccontano, spiegano, domandano, discutono, protestano (parecchio). Ma, soprattutto, confrontano. Amano infatti misurarsi col mondo, per imparare e migliorare; quello che troppi italiani in Italia non vogliono più fare, per pigrizia o per paura. Tra questi, purtroppo, ce ne sono molti che comandano. I risultati sono sotto gli occhi di tutti.

Dieci anni. Sapete cos'è successo, dal 1998 ad oggi: nuovi governi, nuove monete e nuove guerre; disastri epocali e mutazioni planetarie; balzi tecnologici e crisi finanziarie; in casa nostra, nuovi problemi resistenti alle vecchie soluzioni. Nel forum abbiamo parlato di tutto questo. In italiano, perché è bello e giusto usare la nostra lingua nel mondo (soprattutto se ne sappiamo altre).

Festeggiamo perciò un compleanno importante, e un libro mi sembra il regalo migliore. Ovviamente, salvo eccezioni, non troverete la ripubblicazione di parti del forum (portare Internet sulla carta è come chiudere il vento in una stanza: subito smette d'essere quel che è). Troverete invece dieci anni di viaggi e di incontri. Gli Italians fanno cose interessanti, affascinanti, eroiche e strambe (dipende). E io ho provato a ragionarci sopra.

Il racconto sarà diviso per continenti (Asia Oceania e Africa, Americhe, Europa) e scandito dalle nostre Pizze Italians, indicate con luogo e data. Qualche volta lascerò la parola agli italiani presenti, che ci aiuteranno a capire l'occasione e l'atmosfera. Altre volte parlerò dell'incontro vero e proprio, come a Kabul o a Beirut, dove la pizzata s'è scontrata con alcune difficoltà locali; a Los Angeles e San Francisco, dove ha coinciso con un'elezione presidenziale; ad Atene o qui a Pechino, quando s'è messa sulla scia di un'Olimpiade.

Più spesso le città, le conoscenze e i miei viaggi – tanti: ho più miglia aeree che capelli in testa – saranno l'occasione per raccontare il mondo là fuori. Per spiegare cosa fanno e cosa pensano gli italiani lontani dall'Italia; cosa sognano e cosa temono; se vogliono tornare o restare dove sono.

«Il mondo è piatto», ha scritto l'americano Tom Friedman. Si vede che non ci conosce: nel piatto noi mettiamo una pizza, e poi sembra di conoscersi da sempre.

Pechino, 24 agosto 2008

Asia, Africa, Oceania

NUOVI ITALIANI CON VALIGIA

Li ho incontrati negli aeroporti dell'India. Formazione tipo: anziano fondatore in giacca e cravatta, giovane manager al cellulare, due collaboratrici con gli occhi pesti. Oppure: moglie, marito, una Samsonite per gli abiti, un'altra per i campioni di prodotto. O anche: maschio cinquantenne con le foto dei figli in tasca, e un occhio non proprio paterno sulle hostess di passaggio.

La faccia non è quella dei turisti, l'abbronzatura nemmeno. Non tengono in borsa la Guida verde e la Lonely Planet, ma fasci di fogli e contratti. Hanno un'aria pratica e filosofica, e somigliano ai colleghi degli anni Ottanta. Sono i nuovi «italiani con valigia», piccoli imprenditori che hanno capito di non avere scelta, in quest'Italia economicamente asfittica: o partono, o soffocano.

Maurizio «Ironing the World» Oldani l'ho incontrato davanti al nastro dei bagagli a Bombay, di notte; l'ho rivisto dieci giorni dopo al nastro dei bagagli di Malpensa, prima dell'alba. Io avevo girato l'India per conferenze e per curio-

17

sità. Lui per vendere i suoi ferri da stiro, insieme alla moglie Paola; ci ha messo dentro anche una breve vacanza al mare, e ha preso l'influenza. L'azienda di famiglia è a Cernusco sul Naviglio, ma i clienti stanno in India, dov'è fuggita la produzione tessile. Il biglietto da visita, blu e giallo, dice proprio: «Ironing the World» (Stiriamo il mondo). Mi piace. Il mondo infatti va stirato, oppure ti stira lui.

L'India è affascinante, ma non è facile. La gente è amichevole, ma le abitudini sono diverse, il pressappochismo in agguato, il cibo insolito, il clima infido, l'aria condizionata feroce, le distanze infinite. All'aeroporto internazionale di Delhi i controlli possono durare da quindici minuti a quattro ore; l'aeroporto di Bombay è separato dalla città da una foresta di baracche; per arrivare all'aeroporto di Calcutta c'è una nuova strada a doppia carreggiata che attraversa la zona di Salt Lake: gli automobilisti locali hanno deciso che ogni carreggiata è tanto grande da poter essere usata nei due sensi di marcia. Provate voi ad avere un'azienda in Brianza e trovarvi una vecchia Ambassador senza fari che procede contromano nella notte indiana.

Niente è evidente: occorre adattamento. Le sere tandoori si succedono; le prime colazioni a buffet sono riti uguali; le voci dall'Italia arrivano rotte nel cellulare. I nuovi italiani con valigia restano poco, all'estero, e cercano di fare molto. Ho conosciuto una delegazione – cinque persone – che era rimasta a Delhi tre giorni, aveva avuto una riunione dopo l'altra e della capitale indiana – una sorta di Washington subcontinentale, con tocchi sovietici e cornice musulmana – non aveva visto niente: nemmeno il Forte Rosso e il Qutb Minar, piantato da nove secoli come un missile a sud della città. Al massimo, i viaggiatori d'affari vedono qualche vacca sacra in mezzo alla strada, gli alberi che crescono sui tetti di Calcutta (miracoli vegetali dell'incuria) e il ristorante dello Sheraton di Delhi, dove mettono i bavaglioni ai turisti, che si divertono un mondo.

Vent'anni fa non sapevano le lingue, gli italiani con valigia e agenda: adesso usano il palmare e il computer, e si lamentano perché i soci e i clienti non parlano inglese abbastanza bene. Portano ancora per il mondo la diffidenza di chi ricorda d'essere stato povero, ma hanno capito che il mondo è pieno di gente più povera di noi. Vendono macchine, spesso; oppure cercano di produrre insieme, litigando per le percentuali e controllando che non spariscano i prodotti.

I piccoli imprenditori come Maurizio «Ironing the World» Oldani non sono come i rappresentanti delle grandi aziende, che vivono in India da anni e sanno muoversi (a Bombay, durante la 30ª Pizza Italians, una dozzina di loro mi ha istruito a dovere). Gli Oldani d'Italia arrivano invece all'aeroporto, vedono un cartello col loro nome, salgono su una vecchia Toyota e spariscono nella pancia dell'India, come personaggi di Graham Greene. Quelli sospiravano per una spia russa, o per un amore vietnamita. I nuovi italiani con valigia pensano al fatturato, e non è meno romantico.

Maximum City, e un minimo di princìpi

Quando dico che il mio sogno è guidare un taxi nero e giallo per Bombay – modello Padmini, la vecchia Fiat 1100, cambio al volante – Priscilla, la giovane collega indiana, s'entusiasma. Dice che deve assolutamente seguirmi (su un'altra macchina, se ho capito bene). Sarebbe un'ottima storia per il giornale, dice: che io sopravviva o no. Il problema non è la circolazione a sinistra. Il problema è tutto il resto.

Urbs prima in Indis, la chiamavano gli inglesi. Oggi Bombay è forse la prima città del mondo: 16 milioni di abitanti, ma potrebbero essere qualche milione di più o di meno. Un posto esagerato: troppo grande, troppo caotico, troppo drammatico, troppo fascinoso. Una città di «tramonti L'Oréal e pomeriggi diesel», come scrive una poetessa locale. Vegetazione esplosiva e architettura imperiale che scuoce nel sole di dicembre. Un purgatorio dantesco, girone commerciale. L'avamposto d'un mercato che cresce al ritmo dell'indi-pop. Il calderone del mondo, dove bolle qualcosa, ma non sappiamo cos'è. Un nuovo libro su Bombay di Mehta Suketu ha per titolo *Maximum City*: dovrebbero proiettarlo sopra Malabar Hill, perché riassume perfettamente questo posto.

Perciò, quando la Indo-Italian Chamber of Commerce mi ha invitato alla Festa Italiana, ho accettato subito. Mai stato da queste parti, prima: ed è bello, da grandi, restare stupefatti come bambini. Sto girando, vedendo, ascoltando; e incontro un numero impressionante di persone, ognuna con una produzione industriale di biglietti da visita. Ogni sera li faccio passare, come un giocatore di poker, e cerco di ricordare le risate di Nandini e gli occhi mobili di Ashutosh, l'ufficio-bunker di Arun e le camicie di Salman, la voce di Sheena e la faccia di Priscilla quando l'ho salutata all'europea, con due baci sulle guance, davanti alla casa del padre. Se non è svenuta, è stato solo per cortesia.

E poi c'è Jayati: lei, non la dimentico. S'è offerta di portarmi nel suo laboratorio di ricamo nel Chor Bazaar, letteralmente «il mercato dei ladri». Produce a Bombay, e vende nel mondo. Jayati ha vissuto a Londra, ma è tornata in patria. Una ragazza preoccupata dei capelli lunghi, dei jeans stretti e degli occhiali da diva in un quartiere islamico: «Non è così che vado al lavoro di solito», dice. Passiamo attraverso una foresta di occhiate e di oggetti. C'è anche la strada dei clacson, e li provano pure.

Arriviamo al laboratorio. Secondo piano, al primo vendono detergenti o mango (dipende dalla stagione). Sedute per terra in una stanza ci sono venti persone: lavorano su grandi telai, infilando perline. Vedo due bambini, dieci e do-dici anni. Chiedo da dove vengono. Risposta: le famiglie abitano lontano, li hanno mandati a Bombay affidandoli a parenti. Lavorano dodici ore al giorno. Dormono qui, tra i telai, come gli altri. Guardo Jayati. Capisco che non è stupita, anzi è orgogliosa d'averli allontanati dalla strada: tant'è vero che mi ha portato a conoscerli.

Le domando chi sono i clienti: cita ditte inglesi e ne-gozi di New York. Comprano tramite un agente – utile, immagino, per dire che loro, di lavoro minorile, non sanno niente. Non chiedo cosa prendono i bambini, cosa incassa lei, quanto guadagnano gli intermediari, quanto ricaricano i negozi e quanto spende la cliente occidentale per il vestito ricamato. So però che la legge indiana vieta il lavoro sotto i quattordici anni. E penso: i signori della moda – sì, anche gli italiani che in India già ci sono, e gli altri che arriveranno – devono stare attenti.

Non è un'accusa, ma un invito. Un minimo di princìpi si può esportare anche a Maximum City. Se non volete chiamarlo buon cuore, chiamatelo marketing strategico.

Al cinema Inox

Ho visto un film di Bollywood in hindi, e ho capito tutto. Forse perché non c'era molto da capire. I film indiani di oggi sono l'equivalente dell'opera italiana dell'Ottocento: sono popolari, interminabili, è chiaro come vanno a finire e, ogni tanto, il cast si mette a cantare tutto insieme. Ma sono utili per capire il Paese. Se il cinema europeo rivela le nostre inquietudini, quello indiano illustra le aspirazioni del subcontinente. Noi, in altre parole, mostriamo quello che temiamo d'essere diventati; loro, quello che vogliono diventare.

Domenica pomeriggio, cinema Inox di Bombay, proiezione delle 15.45, centottanta rupie (tre euro) per l'ultimo posto disponibile in quarta fila. Le famiglie arrivate a piedi da Marine Drive sono già sedute, e mostrano una disciplina militare. Il film si chiama *Aitraaz*, e riadatta *Rivelazioni-Disclosure* per il pubblico indiano. Bellissima dirigente d'azienda mette gli occhi e le mani su aitante dipendente maritato; lui è turbato, ma (più o meno) resiste. Le donne tra il pubblico sono con la sposina che rischia il marito; gli uomini, sembra di capire, vorrebbero essere al posto di quest'ultimo.

Comprensibile: la tentatrice è Priyanka Chopra, che è uno schianto, non meno di Demi Moore all'epoca. Miss Mondo nel 2000, la giovane indiana sta imparando a fare l'attrice. Magari non c'è ancora riuscita, ma intanto mostra di meritare il titolo conquistato. La disfida col protagonista maschile, Akshay Kumar, è epica. Niente baci, ma strusciamenti estenuanti. Uno si chiede come i protagonisti riescano a non andare a fuoco: non tanto per la passione, ma per l'attrito.

La cosa più divertente sono i balletti, che esplodono come petardi nel momento più imprevedibile (per noi), ma in modo del tutto ovvio per il pubblico locale. In *Aitraaz* è indimenticabile quello sulla spiaggia, in cui salta fuori anche un violino; e, soprattutto, la danza sulla nave dei pirati. Cosa c'entrino i pirati in un film ambientato dentro una ditta di cellulari, non è chiaro. Ma il pubblico sembrava entusiasta, quindi va bene così.

Ancora più interessanti sono i dialoghi, che spesso si chiudono con uno scambio di battute in inglese, utile a orientare lo spettatore straniero («*Don't be late.*» «*Of course not, baby.*»). Affascinante l'abbigliamento. Essendo vietata la nudità, ma obbligatoria la tentazione, i vestiti delle attrici sembrano essere stati bucherellati con un fucile mitragliatore. Fondamentali, infine, gli arredamenti. I sogni della sposina insidiata sono la proiezione cinematografica di un catalogo Ikea. Mobili moderni su pavimenti puliti, vetri, scaffali e tavolini.

Non c'è dubbio: Bollywood parla dell'India come la pubblicità televisiva parla di noi, o degli americani. Un film – ogni anno ne vengono sfornati un migliaio – spiega la nuova classe media più d'un trattato di sociologia (nel quale oltretutto non avrebbe posto Priyanka in abitino da sera, e sarebbe un peccato). Un film duro e realista come *Salaam Bombay!* (Mira Nair, 1988) può essere utile per conoscere i drammi delle città. Ma per capire la commedia umana dell'India urbana, *Aitraaz* va benissimo.

Prendiamo le donne. Sebbene il novanta per cento delle indiane abbia la pelle scura, Bollywood lascia intendere che chi non ha la pelle chiara non è bella. Non lo dico io. Lo sostiene la scrittrice Arundhati Roy nel libro *L'impero e il vuoto*: «La crescente fama internazionale dei film di Bollywood mi preoccupa. Propongono quasi sempre valori terribili e degradanti. Le fasce più povere della popolazione, i *dalit* e gli *adivasi*, hanno la pelle più scura. Questa discriminazione funziona come un sistema di apartheid».

L'affermazione è drastica, ma rende l'idea. Bollywood propone – impone? – un ideale di bellezza che gli altri media rilanciano in modo ossessivo. Prima di capire la differenza tra induismo e buddismo, il turista è in grado di distinguere tra Priyanka, Kareena e Aishwarya. Non c'è da stupirsi, quindi, di trovare sui giornali pubblicità di creme come «Fair and Lovely» (Chiara e Deliziosa) o «Afghan Snow» (Neve afghana), che promettono di schiarire la pelle. Dimenticavo: la splendida, celebre, ubiqua e citata Aishwarya Rai – Miss Mondo 1994, oggi protagonista di *Matrimoni e pregiudizi*, interessante cooptazione bollywoodiana di Jane Austen – non ne ha bisogno. È indiana, ma potrebbe comparire in una pubblicità di Intimissimi e parlare con l'accento di Latina.

Qualcuno dirà: così funzionano erotismo ed esotismo.

Le orientali vogliono sembrare occidentali, e viceversa. Vale anche per gli attori maschi, naturalmente. Il protagonista di *Aitraaz*, Akshay Kumar, sembra uscire da *E.R.* o *Miami Vice*: ha l'occhio languido, il bicipite metalmeccanico e la pettinatura scolpita dal vento della decappottabile. Forse per questo le ragazze del cinema di Bombay erano tutte per lui, e si stupivano quando mi giravo a guardarle, trovando le loro facce intente più affascinanti di una trama prevedibile.

All'uscita ho detto a una di loro che *Tala Tum Tala Tum*, la canzone dei pirati, m'era piaciuta molto. A un'altra avrei voluto chiedere perché il torrido ballo sulla spiaggia si chiamasse *Gela Gela Gela*. Non l'ho fatto. Avrebbe potuto rispondermi.

30ª Pizza Bombay, 7 dicembre 2004

FEBBRE GIALLA

Tornando in Cina dopo sei anni di frequentazioni e tredici d'assenza, pensavo di trovarmi a discutere di costo del lavoro, apertura del mercato, diritti umani, Olimpiadi. Macché: ho passato ore a parlare della Nuova Febbre Gialla, una malattia per cui non esistono vaccini. Anche perché i soggetti a rischio – diciamolo – adorano la possibilità di contagio.

Cosa succede? Questo: molti italiani arrivano, e vanno giù di testa per le ragazze locali. Non lo dico io, lo dicono gli interessati. E le interessate: le connazionali in Cina (e, in genere, in Oriente) giurano di non sopportare più «i gridolini, i sorrisini e le gambette secche delle ragazze locali» (così scrive Beatrice a «Italians»). Una certa spregiudicatezza nei costumi sessuali – le italiane usano vocaboli più energici – aumenta l'ostilità.

L'argomento, credetemi, è socialmente esplosivo. Se volete movimentare una cena (a Pechino, a Shanghai o a Hong Kong) dovete solo dire: «Le ragazze qui sono davvero carine!». A quel punto i maschi presenti cominciano a cercare il tovagliolo sotto il tavolo, mentre le donne si lanciano in una requisitoria basata su questo concetto: le ragazze cinesi sono sciacquette e gatte morte, ma gli uomini italiani ci cascano.

Un fatto è certo: ora che le imprese italiane in Cina possono operare da sole, le coppie miste sono le uniche joint venture che funzionano. *China Girl*, nella versione di David Bowie, potrebbe sostituire l'inno di Mameli. Lui italiano e lei cinese. L'inverso non avviene, perché le nostre orgogliose connazionali non sembrano interessate ai maschietti locali. «Le italiane in Cina sono come la panna: dopo un po' inacidiscono, o si smontano», mi dice un romano che ama, riamato, le morettine del Celeste Impero (niente nomi: temo per la sua incolumità alla prossima «cena con signore» organizzata dalla Camera di Commercio Italiana in Cina).

Per chi arriva, vi assicuro, è tutto piuttosto bizzarro. Qui a Hong Kong ho visto belle, fascinose italiane, e deliziose fanciulle del posto. Queste ultime, ovviamente, sono più numerose, e non disdegnano il corteggiamento occidentale (l'età del corteggiatore non è quasi mai un problema). Le coppiette italo-cinesi si vedono nei ristoranti, nei bar, negli aeroporti. Lui con un ghigno ingenuamente diabolico, lei col visino astutamente angelico. Dimenticavo: ogni tanto la fidanzatina diventa moglie. A quel punto, tutto cambia. Lei comanda, lui sta agli ordini. E le italiane in Asia possono brindare dicendo: «Che pollo!». Il che, pensando all'influenza aviaria, è quasi una minaccia.

45ª Pizza Hong Kong, 10 novembre 2005

Bello girare Shanghai dentro un sidecar. Per i cinesi è un mezzo da poveri: significa che non ti puoi permettere un'automobile. Per noi occidentali è un trasporto di lusso: vuol dire guardare le luci della città dal basso, e ammirare la guida dei cinesi. Magari un giorno domineranno il mondo – mi dice l'ingegner Federico Morgantini alla guida – ma per adesso non sanno mettere la freccia a destra.

All'inizio Nanjing Lu sembra il corso di Jesolo poi, sul Bund, Shanghai diventa Londra affacciata su Manhattan. I giovani italiani salgono con le amiche cinesi al Bar Rouge a guardare i grattacieli di Pudong. Li invidio, perché si sentono pionieri. Invidio i loro uffici provvisori, il loro cinese approssimativo, le borse pronte sotto la scrivania, le miglia accumulate per voli gratis che, al momento buono, sono sempre indisponibili.

Ogni generazione cerca la sua epica, e questi ragazzi l'hanno trovata qui. Non sono le avanguardie di un esercito, perché l'Italia non sa muoversi in modo organizzato. Nelle guerre commerciali, come in quelle vere, noi mettiamo in campo esploratori, matti e qualche eroe.

L'Italia aveva capito la Cina per tempo. Poi, un doppio stop. Per tutti, Tiananmen (1989), che ha gelato i rapporti con l'Occidente; per noi, Tangentopoli (1992/1993), che ci ha spaventato e s'è portata via l'uomo politico che, più di tutti, aveva intuito le possibilità della Cina: Gianni De Michelis (strani, i nostri socialisti: sapevano fiutare il vento del mondo, ma non i cattivi odori dentro casa). Da quel momento l'Italia è stata, come dicono i cinesi, «una rana in fondo al pozzo», capace di vedere solo il cielo sopra la propria testa.

Per anni abbiamo fatto investimenti modesti (con eccezioni, tra cui Iveco, Luxottica, Merloni, Perfetti, Piaggio, Pirelli, Radici, Zegna). Alitalia era assente (ora vola a Shanghai). C'erano le banche, ma non gli uffici di corrispondenza dei giornali, e la sede Rai era chiusa (un cinese andava a spolverare, ogni tanto). Rappresentanze commerciali volonterose, ma sparpagliate. Qui a Shanghai non bastavano Ice e Camera Italia-Cina. No: ci volevano il Palazzo Lombardia (sottoutilizzato, lontano dalla Fiera di Milano), la Camera di Pesaro-Urbino, il Centro Servizi Emilia-Romagna e una bella ragazza di Terni per Umbria Export. Però dall'Italia arrivano le delegazioni. Nazionali, regionali, provinciali, municipali, politiche, professionali, territoriali: neppure l'Urss e la Cina di Lin Biao ne mandavano in giro tante, e tanto numerose (ora c'è il Comune di Milano: giorni fa, cena rinascimentale).

E il governo? Berlusconi, da presidente del Consiglio, è venuto in Cina solo una volta (novembre 2003), preferendo Mosca a Pechino; il cancelliere tedesco Schroeder – che pure teneva alla Russia, come s'è visto – è arrivato sei volte. I cinesi, queste cose, le notano. Risultato: il presidente Hu Jintao è appena stato in Germania, Gran Bretagna e Spagna; e mentre il ministro per le Attività Produttive Marzano, in visita con Ciampi, citava Marco Polo e parlava di «afflati comuni» (mandando in tilt l'interprete), i tedeschi firmavano contratti per dodici miliardi di dollari. Riassunto di un giovane bresciano a Shanghai: «Noi ci arrabattiamo per piazzare macchine del caffè, formaggi e stampanti; gli altri costruiscono gli aeroporti».

Sarà anche vero: ma chi s'arrabatta merita rispetto, ed è meglio di chi non si muove. Buona fortuna e buon lavoro, dunque, ai nostri esploratori un po' matti. E un invito, se posso. Ricordate sempre cosa c'è dietro il costo d'un prodotto cinese del XXI secolo: condizioni di lavoro del XIX secolo. Lo so, buon cuore e buoni profitti non vanno d'accordo: ma si può provare. O almeno lasciatemi illudere, mentre il sidecar corre tra le luci di Shanghai.

46ª Pizza Shanghai, 14 novembre 2005

Avete visto «Manila» nel titolo, e avete subito pensato: perché dobbiamo leggere di un posto di cui non sappiamo niente? Risposta: perché è la fine del mondo. Avete dubbi? Prendete un atlante. Dopo le Filippine si aprono quindicimila chilometri d'oceano, interrotti dai puntini di sospensione della Micronesia e della Polinesia. Il discorso riprende in Guatemala, stessa latitudine.

Manila è la fine del mondo anche perché è enorme, enfatica, esagerata: una fantasia politico-tropicale che non possiamo ignorare. Un avamposto cristiano davanti all'Islam che avanza, e non è mansueto. «Una divagazione anglo-ispanica ai confini dell'Asia» che irritava Giorgio Manganelli. Un Oriente diluito: dentro c'è un po' d'antica Spagna coloniale, di recente America militare, di nuova Cina commerciale. Mi dice sospirando un editore locale: «Un tempo le famiglie filippine avevano domestici cinesi. Oggi sono le famiglie cinesi ad avere domestici filippini».

Hanno definito Manila «l'antitesi del trendy»: un'immensa macchina da karaoke ignorata dal mondo, una città di *jeepneys* chiassose, di feste musicali nei cimiteri (ora vietate), di combattimenti di galli, di gente mite con la pistola, di masse rassegnate e oligarchie voraci. Un posto pazzesco, sostanzialmente. Ma sapete com'è: i pazzi hanno un certo fascino.

Resto dal giovedì alla domenica. Visito i sensi di colpa spagnoli a Intramuros, i ragazzi della scuola di giornalismo del «Manila Times», i missionari di Tondo, un formicaio commerciale chiamato Green Hills (per nulla verde, totale assenza di colline): mi sembra di trascorrere le giornate nello stesso ingorgo magmatico, che s'informa dei miei spostamenti, e m'insegue. Esistesse l'Olimpiade del Caos Stradale, Manila vincerebbe l'oro (argento a Pechino, bronzo a

Mosca e San Paolo). Sulla Edsa, l'autostrada urbana, hanno messo orinali rosa per gli automobilisti bloccati nel traffico. Solo uomini, però. «Le autorità» leggo su «Manila Envelope» «ritengono che le donne filippine conoscano le buone maniere.»

Ragionando con Giampiero Gastaldi – un fotografo milanese che col caos locale è venuto a patti – scopro bizzarri punti di contatto con l'Italia (dove lavorano oltre centomila filippini, con un numero imprecisato di familiari, la più grande comunità in Europa). A Manila, come a Roma, la gente va matta per i cellulari, i messaggini e i concorsi di bellezza. In Italia e nelle Filippine la tv ripete, rincuora e rimbambisce (da noi i «reality», qui l'iperrealistico *Eat Bulaga!*). Nelle Filippine, come in Italia, il popolo non crede alla retorica delle autorità, ma ascolta i politici che usano la religione per mascherare un presente discutibile e un passato imbarazzante (noi non abbiamo Lady Marcos, ma qualche Imeldo in giro si vede).

Forse per questo Manila, con le sue follie, risulta stranamente familiare. C'è un falso Occidente, in città, che fa il paio col nostro orientalismo da catalogo. Le ragazze si sbiancano la pelle, Hollywood fa capolino in un cartellone pubblicitario e la città vecchia è stata spianata per far spazio ai palazzoni lungo la baia. Sotto le palme di Malate, la sera, le orchestrine suonano *Every Breath You Take* dei Police e la gente ascolta, composta, bevendo birra San Miguel. Il posto ricorda certi lungomare siciliani fuori stagione, o il lungofiume di Baghdad senza la guerra. Una combinazione struggente, che colpisce solo gli stranieri che hanno viaggiato troppo. Gli stormi di ragazzine brune sono immuni da queste malinconie. Vogliono solo prendere il fresco, e illudersi di vivere in una città normale. E qui, alla fine del mondo, non è una pretesa da poco.

Don Giovanni e il commendatore

Il commendator Colombo va a dormire alle nove di sera e si alza alle tre del mattino, per vedere il Tg1 delle 20.00 in Italia. Il commendator Colombo conosce tutte le stelle di Rai International. Il commendator Colombo tiene un corso di cucina, e vende pasta aromatizzata (al pomodoro, al rosmarino, ai carciofi). Il commendator Colombo gestisce Amici miei, la pizzeria più popolare delle isole Filippine, dove Giancarla Vanoli ha organizzato una trionfale Pizza Italians. Il commendator Colombo stampa i libretti d'istruzioni per la Epson. Il commendator Colombo produce agende e manifesti di Benedetto XVI, ed è felice che il copyright, da queste parti, sia un'opinione.

Il commendator Gianluigi Colombo, a dire il vero, non è neppure un commendatore, ma un padre salesiano: l'onorificenza gliel'ho assegnata io perché un bustocco così bustocco non l'ho visto neppure a Busto Arsizio. In lui c'è tutto l'ottimismo imprenditoriale lombardo degli anni Sessanta, un periodo che in Italia è finito e dimenticato, ma nelle Filippine ha ancora un suo valore apostolico (mi hanno detto che un ingegnere italiano, nelle isole meridionali, è stato nominato sultano. Non so altro, ma è un tipo da conoscere).

Don Giovanni, invece, non è un sultano, non gestisce una pizzeria, non è un editore né un imprenditore: è un romantico pragmatico, di quelli che s'illudono che il mondo cambi; ma, nel frattempo, non stanno con le mani in mano, e cambiano qualcosa intorno a sé. Don Giovanni – padre canossiano – viene da Arzignano, Vicenza. È veneto, sembra veneto e ha un cognome veneto: Gentilin. Solo una vocale lo divide dal sindaco di Treviso, ma – come dire? – è diverso l'atteggiamento verso i fratelli meno fortunati. Dimenticavo: don Giovanni non corre dietro alle donne, come il suo omonimo mozartiano. Le aiuta, invece, soprattutto quando hanno molti figli e pochi soldi.

Giovanni Gentilin guida una delle parrocchie più pazzesche del mondo. Tondo, quartiere disastrato sul porto di Manila, comprende le Smokey Mountains, le Montagne Fumanti: spazzatura a vista d'occhio, e duemila famiglie che, per sopravvivere, ci rovistano in mezzo. I bambini, che sono piccoli e agili, scalano le montagne di rifiuti portandosi un rampino, con cui estraggono i loro poverissimi tesori. La discarica è l'unica fonte di sostentamento. Non solo viene tollerata dalle autorità: viene sfruttata. Esiste una mafia burocratica che pretende l'80 per cento del ricavato, se e quando i disperati di Tondo recuperano qualcosa (gli esattori sono lì, all'uscita, cenciosi e precisi come guardiani dell'inferno).

Che dire? Uno viaggia, vede, s'abitua, impara a controllare il disgusto e a trattenere il respiro pensando alla doccia in albergo. Qui è dura. Non è solo la miseria a colpire. È la normalità che l'uomo riesce a inventarsi dove niente è normale.

I bambini scalzi girano su biciclette sfasciate, salutano e ridono. Le mamme allattano, e mettono ad asciugare stracci come fossero vestiti. L'unico chiosco vende piccole cose miserabili, e qualcuno le sceglie e le compra. Tre ragazze siedono di fronte a un vecchio juke-box, infilano una moneta e cantano *Our dream will never die...*, il nostro sogno non morirà mai.

La puzza ha una consistenza fisica: arriva in faccia e cambia l'espressione. Dice don Giovanni: qualche volta gli ospiti scoppiano a piangere. Penso: beati loro. È peggio portarsi via in silenzio l'odore e il rimorso perché, da uomini, non riusciamo a impedire che questo accada.

Per capire l'Asia, bisogna girare in Tondo. Le Filippine si piazzano, come prodotto pro capite, tra l'India e l'Indonesia. Sono la pancia molle di un continente di cui, figli del marketing e innamorati delle novità, ci siamo abituati a vedere solo il lato positivo e spettacolare. In effetti, l'Asia è cresciuta, Cina e India in testa. Metà della popolazione vive però con due dollari al giorno: un miliardo e novecento milioni di persone. Considerarle solo un serbatoio di manodopera è immorale, folle e pericoloso. La miseria è incubatore di tutto: dalle pandemie al terrorismo islamico, e quello che sta in mezzo.

Don Giovanni queste cose le sa bene, ma deve stare attento a ripeterle. Nelle Filippine preti e giornalisti intraprendenti non sono popolari: prima li chiamano sobillatori, poi gli sparano. Dice il parroco: occorre resistere alla violenza e alla tentazione di rispondere con la violenza. «Gli amministratori» racconta «si fanno vivi solo prima delle elezioni, per comprarsi i voti; e il sindaco di Manila, quando tre anni fa sono andato a protestare per una nuova montagna di rifiuti, s'è risentito. Ha detto che così aumentavano i posti di lavoro.» Due anni fa, in una lettera natalizia ai sostenitori italiani, padre Gentilin ha scritto: «I politici filippini si professano cattolici e cristiani che amano Dio e il prossimo. Ma se questo fosse davvero il modo d'amare il prossimo, io stesso metterei in dubbio l'esistenza di Dio. Tuttavia, poiché Gesù Cristo ci ha insegnato ad amare Dio Padre, forse è meglio aggrapparsi a Lui e continuare a sperare».

Nel 1995 Giovanni Paolo II è venuto a Manila per la Giornata Mondiale della Gioventù, con giornalisti e fotografi al seguito: e qualcuno ha imparato a conoscere Tondo, questo girone infernale dal nome circolare. Padre Giovanni, recentemente, ha trovato gli aiuti per acquistare un terreno destinato alla nuova chiesa e a un centro sociale. Intanto, di fianco alla chiesa attuale, ha allestito un ambulatorio dove il divieto di contraccezione non sembra la prima preoccupazione.

Alcuni gruppi in Italia – a Paderno Dugnano, ad Arzignano – spediscono aiuti e volontari. Mille bambini di Tondo hanno avuto gli studi pagati grazie alle «adozioni a distanza» (www.adozionitondo.org). E l'Azienda dei servizi municipalizzati del Comune di Brescia ha promesso di occuparsi delle Smokey Mountains (l'orgoglio bresciano non poteva restare indifferente, davanti alla sfida delle «colline del disonore», come le ha chiamate sul «Corriere» Massimo Nava, che è stato qui nel 2000, quando piogge torrenziali avevano provocato crolli e morti).

La parrocchia di padre Gentilin è dedicata a San Paolo apostolo, che se oggi arrivasse qui scriverebbe una «Lettera ai filippini»: e qui a Tondo li incoraggerebbe, come fece coi filippesi. Anche loro sono «saldi in un solo spirito», e «non si lasciano intimidire dagli avversari». È domenica. Alla messa del mattino conto ventidue neonati da battezzare, e osservo batterie di bambini bruni che cantano sotto i ventilatori spenti. È la stagione asciutta e si sta bene: appena piove, invece, entra l'acqua in chiesa, perché quando hanno sistemato la strada l'hanno fatta troppo in alto.

Le bambine sono carine e minute, e hanno gli occhi che brillano di curiosità. Appena diventano ragazzine, i trafficanti gli mettono gli occhi addosso. Se sono belle, rischiano di finire nei bordelli artigianali di Burgos, a ballare con la faccia triste per i giapponesi che non se ne accorgono e per gli americani che non ci sono più. Padre Giovanni lo sa, e cerca di difenderle. Anni fa gliene hanno fatta trovare una ammazzata, come avvertimento.

È questo che colpisce dei missionari. Sanno quello che dicono, dicono quello che sanno, e lo fanno con voce normale: anche quando sono cose pazzesche, eroismi o disastri. Il commendatore sta per tornare in Italia – non ha l'aria d'essere troppo contento – lasciandosi alle spalle una vera azienda: l'unica tipografia-pastificio-pizzeria del Pianeta, probabilmente. Don Giovanni, invece, resta. Mi dicono che è stato gravemente malato, è guarito non si sa come, è tornato al suo posto. A messa, mischiando inglese, veneto e tagalog locale, cita il vangelo di Matteo (25,40): «In verità vi dico: ogni volta che avete fatto queste cose a uno solo dei miei fratelli più piccoli, l'avete fatto a me».

Vien da dire: c'è tanta brava gente al mondo. Ma non basta, perché gli altri sembrano sempre di più.

47ª Pizza Manila, 18 novembre 2005

SULLE NEVI DI DUBAI

Strano posto, Dubai. Un incrocio tra Las Vegas e Shanghai, deciso a diventare Singapore nonostante il traffico di Milano. Pieno di autocrati lungimiranti, immigrati impazienti, soldi liquidi e misteriosi, costruzioni splendide e lavori in corso. Nel mio personalissimo Indice Mondiale delle Gru – una prova d'ottimismo, in fondo – la città supera Pechino. Il cielo è rigato di metallo verticale e il terreno è punteggiato di macchine e uomini. Indiani e pakistani che per 200 dollari al mese, a turno, ventiquattr'ore su ventiquattro, costruiscono un sogno per conto terzi: un'economia araba indipendente dal petrolio, che a Dubai è quasi esaurito (andasse male, ad Abu Dhabi ce n'è per altri centocinquant'anni).

Non è serio esprimere giudizi dopo pochi giorni di soggiorno: prendetela, quindi, come una cartolina. Niente panorami, solo un sospetto. Questo: sarà lunga, da queste parti, la battaglia tra la pancia e il cervello. Quest'ultimo dice che l'Occidente è un partner perfetto: fornitore e cliente, turista e alleato. Ma la pancia non ci sta. Brontola che il mondo islamico è altro, che ci sono cautele e ipocrisie necessarie.

Se ne sono accorti gli italiani residenti. Milleseicento persone concentrate soprattutto a Dubai, appartenenti a una categoria in espansione: quella degli Uomini Occidentali Vagamente Ansiosi (U.O.V.A.). «Uomini» nel senso di esseri umani; nel gruppo metto anche le nostre connazionali, che – come al solito – hanno capito tutto, e più in fretta.

Sono sveglie e convincenti, le italiane che mostrano i denti e il sorriso in un modo maschile come quello beduino (fino a che punto, non so: mi dicono che papà, mariti e fratelli, dietro le porte chiuse delle case arabe, vengano comandati a bacchetta). Le nostre connazionali sono consulenti come Paola e amministrano un garage come Valeria, vendono cucine come Emanuela e fanno le mamme come Silvia e Alessandra, dirigono associazioni culturali come Donatella, si occupano di risorse umane e portano in giro turisti, vendono gioielli e guidano fuoristrada nel deserto. Hanno antenne sensibili, come dicevo; ma neppure loro sanno come andrà a finire.

Nel corpo di questa nazione multipla, allungata come una bagnante lungo il Golfo, la lotta tra pancia e cervello sembra arrivata a un momento cruciale. Non parliamo delle contraddizioni per cui vanno pazze le riviste in Europa e negli Usa: l'alcol che non dovrebbe esserci ma c'è; la meritocrazia fino a un certo punto (i locali sono comunque favoriti); il rigore sessuale e le prostitute russe che accorrono seguendo l'odore dei soldi; le ragazze in *burqa* che si divertono a Ski Dubai (una pista di neve artificiale, con seggiovia e chalet, tra il mare e il deserto: provata, ovviamente). Parliamo di cose più importanti: se un Paese islamico possa accettare le regole del mondo laico, e ammetterlo.

Non è ancora così. Gli emiratini – 800.000 su una popolazione di 4,3 milioni, il resto sono immigrati – appaiono orgogliosi del successo targato Al Nahyan e Al Maktum, i padri-padroni del Paese. Ma ci sono conformismi che non sanno – o non vogliono, o non possono – evitare. È tutto chiaro all'American University di Sharjah, una reggia accademica immersa tra prati verdi strappati cocciutamente al deserto. I figli dell'élite del Golfo studiano qui, felicemente confusi tra quattromila ragazzi di 76 nazionalità. Ragazze col velo e ragazzi in jeans chiacchierano nel sole già caldo. Hanno aule magnifiche, computer spaziali, professori dagli Usa: il meglio dell'America senza l'America, che dal 2001 li guarda con sospetto. Quando una docente ha proposto di discutere le reazioni alle vignette danesi su Maometto, però, è stata sospesa.

La pancia ha vinto sul cervello. Ma è un episodio. La partita è lunga, e siamo tutti curiosi di sapere come andrà a finire.

49ª Pizza Dubai, 27 febbraio 2006

ELEZIONI ITALIANE E LEZIONI ISRAELIANE

È strano seguire l'elezione del presidente della Repubblica italiana in diretta-video su Corriere.it, da una stanza d'albergo affacciata sulla spiaggia di Tel Aviv. Il mare è lo stesso – è il nostro, in fondo, con le onde piccole e le ragazze brune – ma i riti di casa, da lontano, assumono un'aria diversa. Da questa città insonne e incosciente, il mantra lontano di Montecitorio appare composto, quasi anglosassone.

Ma va bene così, per una volta. La scelta di Giorgio Napolitano chiude, si spera per sempre, l'epoca delle accuse/controaccuse su comunismo/fascismo. D'ora in poi, forse, litigheremo su qualcos'altro. E chissà: inizieremo a guardare avanti, e non indietro. Le nazioni che procedono con gli occhi nel retrovisore non vanno infatti da nessuna parte. Oppure sbattono, che è peggio.

Qui non accade. Israele – 58 anni, 6,5 milioni di abitanti, 8 milioni di cellulari – si sente un bambino, e inventa qualcosa ogni giorno. La storia la conoscete, e così i successi e i drammi. Forse non sapete, però, che la politica qui è un ottovolante, da cui la gente sa scendere dopo ogni elezione. Prima discute furiosamente – solo russi, argentini e italiani hanno la stessa foga logorroica – poi s'accoda dietro ai nuovi capi. L'anarchia è un lusso che non si può permettere, e lo sa.

Questo Paese ha un'altra caratteristica di cui si parla poco, e che dovremmo studiare: ha saputo conservare la capacità di attrazione. Sono arrivati ebrei russi, ebrei americani, ebrei africani, ebrei francesi, ebrei italiani come Giordana, che ha organizzato la Pizza Italians. Un'*aliyah* (immigrazione) a puntate, che ha cambiato il Paese, dall'ultima volta che ci sono stato (1988, inizio dell'intifada delle pietre).

Per la prima volta il numero degli ebrei d'Israele è superiore a quello negli Usa. Lo ricorda Dan Vittorio Segre in un libro che dovrebbe leggere anche chi non mastica pane e Medio Oriente: *Le metamorfosi di Israele*. Questo è un Paese mutante: come gli Usa e il Brasile, cambia la gente che arriva, perché propone un progetto e un modo di vivere. C'è tensione nell'aria, e non è (solo) quella che spiega le gite scolastiche accompagnate da due guardie coi fucili mitragliatori. C'è la sensazione di vivere in un posto che ha voglia di fare, e non cerca scuse. Eppure ne avrebbe. Qui vicino stanno la Palestina di Hamas e l'Iran dell'imprevedibile (e impronunciabile) Ahmadinejad: non la Svizzera e la Francia.

Perché il nuovo immigrato è importante? Perché porta forze e idee nuove. Certo, Israele è la casa degli ebrei, che qui comandano e hanno qualcosa in comune. Ma se vedete una bionda in minigonna sbarcata da Odessa e un ortodosso giunto da Brooklyn, vi chiederete cos'è e quant'è, questo qualcosa. La verità è che molta gente è venuta a condividere un progetto, accollandosene una frazione. Ci sono gli scienziati e gli agricoltori, gli studenti e i camerieri, le impiegate e i piloti, i cuochi e i soldati: un'immigrazione pensata ha creato le condizioni per accoglierli (al futuro, penserà la mobilità sociale).

Sì, ho scritto «pensata». Lo stesso fanno, per motivi e in modi diversi, l'Australia e il Canada, il Giappone e la Germania. L'Italia, no. Da noi tutto accade a caso e a naso. Pensate alla colossale occasione che stiamo sprecando: abbiamo una immensa diaspora dovuta all'emigrazione e la legge sulla cittadinanza più generosa del Pianeta. Ma non chiediamo ai connazionali all'estero di imparare la nostra lingua, e non li invitiamo a tornare. Voi credete che i giovani italo-argentini e italo-brasiliani non sarebbero utili? Io dico di sì. Utili e benvenuti, più di altri.

Certo, non siamo Israele. Ma qualcosa potremmo inventarci anche noi.

Con il colonnello nella città di Hamas

Se volete conoscere un ambiente più ansioso, astioso e insidioso del calcio italiano, consiglio una domenica a Hebron. Ci ero stato diciott'anni fa: avevano appena bruciato la macchina al sindaco. Sono tornato, e va molto peggio. All'ingresso, una scritta annuncia «Benvenuti nella città di Hamas», e tra uno sventolio di bandiere verdi si capisce in fretta che tutti odiano tutti.

I palestinesi odiano i coloni ebrei; i coloni ebrei aborrono i palestinesi; gli uni e gli altri mal sopportano gli osservatori internazionali; tutti detestano le forze armate israeliane (Idf), che a loro volta disprezzano tutti quanti (in particolare i palestinesi, alcuni dei quali vorrebbero farle saltare in aria).

Mi accompagna un colonnello dei carabinieri, Luciano Zubani, vice capomissione del Tiph (Temporary International Presence in Hebron), un contingente di 73 persone provenienti da Italia, Norvegia, Svizzera, Danimarca, Svezia e Turchia, voluto dalle Nazioni Unite dopo il massacro del 25 febbraio 1994: un colono ebreo è entrato in una moschea di Hebron con un mitragliatore, uccidendo 29 arabi e ferendone 300.

Bresciano, disarmato, vestito d'azzurro, Zubani ha l'espressione filosofica che mostriamo noi italiani quando finiamo in una gabbia di matti, e non è colpa nostra. Nel febbraio 2005, quando bande di studenti arabi hanno preso d'assalto il quartier generale del Tiph, il colonnello li ha affrontati azionando l'estintore. Quelli hanno fatto marcia indietro, e si sono accontentati di spaccare tutti i vetri a sassate. E meno male che «Hebron» deriva dalla parola «amico».

Attraversiamo oliveti polverosi e occhiate diffidenti. Gli insediamenti dei coloni (Beit Hadassah, Avraham Avinu, Beit Romano, Tel Rumeida) sono piantati come astronavi squadrate nel mezzo della città araba. Gli abitanti palestinesi ogni tanto ci fermano per lamentare qualche torto: escrementi buttati dai balconi, il taglio del tubo dell'acqua, lo smantellamento delle pietre di un sentiero da parte dei bambini dei coloni. Questi ultimi si vedono poco: passano dietro a una finestra, come ombre.

Il «Jerusalem Post» cita fonti dei servizi di sicurezza israeliani e prevede che «la prossima evacuazione dei coloni sarà molto più violenta di quella da Gaza». Nessun dubbio. L'odio è palpabile, la determinazione pure. I coloni ebrei gettano sul *suq* arabo sottostante tutto quello che riescono a far passare dalla finestra – immondizia, rottami, vetri, sassi – costringendo i (pochi) passanti a proteggersi sotto una rete metallica. Se uscissero soli e disarmati, verrebbero assaliti. Ma non escono, e non se vanno. Stanno lì.

Hebron – 900 metri sul livello del mare, 30 chilometri a sud di Gerusalemme, 180.000 abitanti – è una delle città più antiche del Medio Oriente, più volte citata nella Bibbia. Nella Grotta dei Patriarchi gli ebrei credono siano sepolti Abramo, Sara, Isacco, Rebecca e Lea; la struttura ospita anche una moschea, e viene venerata dai musulmani come il sepolcro di Abramo. Questo la rende una città irrinunciabile per gli uni e per gli altri, e uno dei posti più inquietanti che io abbia mai visto.

Se esiste un luogo al mondo da cui il mondo non deve imparare, questo è Hebron. Un contatore per l'odio, da queste parti, salirebbe a livelli stratosferici. La città è un formidabile concentrato di clan, i più cinici e famelici della Palestina; di estremismo politico, equamente diviso tra Hamas e i coloni; e di intolleranza religiosa, tra tutte la peggiore.

Perché un assassino può pensare d'essere un uomo giusto, e troverà qualcuno che gli darà ragione.

54ª Pizza Tel Aviv, 10 maggio 2006

SOTTO IL CONFINE

Pizza a Haifa, una sera profumata di maggio. Serenità nell'aria, nonostante i controlli all'ingresso dopo i recenti attacchi dei kamikaze. Siamo venti, gente che segue il forum «Italians». C'è Edoardo dell'Istituto di Cultura, il direttore della scuola cattolica, il ragazzo arrivato dalla Romania con la ragazza siciliana, Giusy col marito, padre Quirico che vuol trascinarmi a San Giovanni d'Acri. C'è l'ingegnere, Zeev Matar, che mi scriverà: «Ricordando la visita due mesi fa, ti mando i miei saluti da Haifa sotto i missili. Oggi ho contato oltre venti "uccelli della morte" piombati non lontano da casa mia in un raggio di cinque chilometri».

Per tutta la sera mi hanno spiegato quanto fosse speciale, Haifa. L'avevo già visto, girando: la geografia generosa, come a Cagliari e a Barcellona. Le casette con giardino della colonia tedesca, gli esterni della *Sposa liberata* di Yehoshua, belle ragazze a bere birra davanti alla spiaggia, come in una California qualunque. La città più israeliana d'Israele, mi dicevano: la più laica, la più mista, la più aperta, la più ansiosa di somigliare a un posto di mare, dove ci si può perfino annoiare.

Sono giorni tremendi, i giorni dell'ira. Non capisco perché Israele abbia reagito così, mettendo a ferro e fuoco un Libano convalescente, colpendo i civili, creando colonne di sfollati. Non so perché a Gerusalemme siano convinti che i rapimenti e i missili di Gaza e della Galilea non fossero gli ultimi attentati di una lunga serie, ma i primi colpi di una guerra in arrivo.

So però una cosa: stiamo parlando di una democrazia. Dura, imperfetta, complicata, loquace, talvolta incomprensibile, con una capacità rara di rendersi adorabile un giorno e insopportabile il giorno dopo. Una democrazia che può sbagliare, correggersi, sbagliare di nuovo, reagire, spaventarsi. Una democrazia con due classi, come i treni: in prima gli ebrei, in seconda tutti gli altri. Ma è un governo con cui possiamo trattare, discutere, litigare. L'unico in Medio Oriente da cui ci aspettiamo molto.

Quella di Israele è una società spartana, cui non importa di rendersi simpatica. Non è facile da capire, da lontano: noi immersi nei nostri piccoli piaceri, loro preoccupati di sopravvivere. Israele, coi suoi limiti, è uno dei luoghi più vivaci al mondo: esistere, qui, è una conquista quotidiana.

Amos Oz – lo ricordo nella sua casa piena di sole ad Arad, anni fa, che già parlava deluso dell'Europa – scrive:

«Non ci può essere equazione morale tra Hezbollah e Israele». Esiste un'organizzazione che fa politica col terrorismo, sfruttando la disperazione della sua gente. Ed esiste un Paese che dal quel terrorismo è assillato da anni, come da un fiato cattivo.

Israele accomodante poteva ottenere di più? Lo credevo, e in parte lo credo ancora: le immagini della furia scatenata in Libano sono destinate a restare nella memoria del mondo. Ma non possiamo star zitti nemmeno quando vediamo i razzisti all'opera in Medio Oriente contro gli ebrei d'Israele, come accade da decenni. La tolleranza europea verso l'intolleranza è diventata elastica. E ci ha conciati così: ridotti a guardare, impotenti, cose che non capiamo.

55ª Pizza Haifa, 11 maggio 2006

IN KENYA, DUE ITALIE

Gli inglesi preferiscono l'alcol al sesso, gli italiani viceversa. Questo viene da pensare girando per Malindi, Kenya, uno dei molti posti col cielo azzurro pieni di connazionali in fuga. In fuga da mogli, famiglie, creditori, delusioni, fallimenti, politica, polizia, noia, noie, autorità assortite. Qualcuno cerca una vita nuova, e la trova. Qualcuno non intende mollare la vita vecchia. Mi dice un milanese al casinò: «Vuole sapere qual è lo sport preferito dagli italiani di qui? Fregare altri italiani, ovviamente».

Malindi è un gioco di frontiera: di qui l'Oceano Indiano, di là l'Africa nera; da un lato le opportunità, dall'altro le tentazioni; di qui gli odori dolci dell'equatore, di là il profumo dei soldi. Freddie del Curatolo, brillante lombardo rock, finito in Kenya per far da padre a suo papà, ha messo tutto in un gioco da tavolo, il Malindo-poli. C'è la mappa delle attività italiane in città, ed è già il regalo più ricercato per Natale.

Freddie e Michela gestiscono il ristorante, Vittorio conduce l'albergo, Fabio progetta il resort vista-mare, Matteo scrive, Tania ha mollato la banca d'affari milanese per occuparsi di donne africane. Ci sono anche loro, a Malindi, ma rappresentano una minoranza. Come gli altri connazionali, sanno fare lo slalom tra le buche quando vanno a Mombasa. Ma non sono tipici. L'italiano tipico cerca guai, e di solito li trova.

Ci sono i grandi guai che possono portare in rovina, o peggio. E ci sono i piccoli guai, che passano per un affare sbagliato o una discoteca-bordello (possono diventare guai grossi: il 5 per cento dei connazionali, mi dice un'operatrice sanitaria, sono Hiv-positivi). È il sesso, infatti, che attira molti quaggiù. L'abbondanza e la convenienza che c'erano una volta a Mosca, e non ci sono più. Quelle che resistono a Rio e Fortaleza, a Santo Domingo e a Phuket, a Cuba e a Manila: tutti posti dove gli italiani sono in prima fila, gentili e famelici, eccitati e ottusi.

I nostri turisti sessuali – qui come dovunque – si dividono in tre categorie. Ci sono gli uomini che cercano importanza; le donne che cercano sensazioni (di solito cominciano col sesso, poi si complicano la vita); e gli adulti che cercano ragazzine.

I primi arrivano per Natale. L'esotismo senza erotismo, dopo un po', li annoia. Sognano «la fanciulla di darwiniana bellezza», come la chiama Freddie in un suo libro. E la incontrano, al bar o sulla spiaggia. Lei sorride, lui paga. Paga soprattutto l'illusione d'essere seducente. Questo fa degli italiani i clienti perfetti: bevono poco, non alzano le mani, abbassano lo sguardo. Non c'è bisogno di ingannarli: ci pensano da soli.

La seconda categoria – in aumento – è quella delle donne

che sognano: novità, compagnia, tenerezza, sesso, amore (nell'ordine). I giovani *beach boys* africani l'hanno capito: così ascoltano, sorridono, corteggiano. Ci hanno provato con tutte le europee scese dai pullman di Mombasa? La signora italiana preferisce non saperlo.

La terza categoria – gli adulti in caccia di ragazzine – è la peggiore. La spinta è simile – l'inconfessabile piacere del controllo – ma i risultati sono infami. Da un rapporto Unicef risulta che gli italiani sono tra i più ostinati rapaci sessuali del mondo, capaci di mischiare – sempre col sorriso sulle labbra, naturalmente – schiavismo e pedofilia. Reati contro cui abbiamo ottime leggi. Chissà: magari qualcuno deciderà perfino di applicarle, prima o poi.

***

La casa di Nenella invecchia tranquilla sotto il cielo di Nairobi, che in questa stagione produce le variazioni equatoriali della pianura lombarda: verde umido, fango e zanzare. Il grande giardino, però, non ha niente di padano: è il sogno erotico di un fiorista di Monza, terra rossa e piante esplosive, fiori giganti, colorati e gonfi.

Nenella Tozzi, classe 1923, è una veterana dell'immigrazione italiana in Africa. Il marito era caposcalo dell'Ala Littoria in Etiopia negli anni Trenta. Dopo l'occupazione inglese la famiglia s'è spostata ad Asmara e ha aperto un'agenzia di viaggi, poi è arrivata in Kenya, dove ha costruito un lodge sul lago Turkana, a nord. Lassù girano keniane chiamate Nenella, e zampilla la fontana Mama Magi (Acqua della signora), costruita un giorno in cui non c'era niente da fare.

In Kenya, per un secolo, l'Italia ha mandato missionari e medici, esploratori e cooperatori, esuli e turisti, architetti e biscazzieri (anzi, non li ha mandati: sono venuti da soli). Da Nenella, nel quartiere Muthaiga, sono passati più scrittori che al Premio Strega: Luca Goldoni, Alberto Moravia e Dacia Maraini, Riccardo Bacchelli che – dice la signora – «aveva già scritto *Mal d'Africa* senza esserci stato, ma era un mostro di bravura, e non ha sbagliato un dettaglio». Gli ospiti erano così numerosi che Nenella ha deciso di aprire una pensione. Dentro, souvenir di una vita insolita; fuori, scimmie e cani. Uno venne ucciso dal morso di un serpente mamba. Spero che quest'ultimo non trovi la strada per la mia stanza.

Sono le dieci del mattino e qualcuno sta suonando *Una notte in Italia* di Ivano Fossati. La musica passa tra i banani e le jacaranda, e sopra il brusio della tv (*Porta a Porta*, Rai International). Tra poco Nenella riprenderà il su e giù per la casa: invece d'aggrapparsi al corrimano, come consiglierebbero le scale buie e l'anagrafe, impartisce ordini in kiswahili. Capisco solo *«pole pole»*, piano piano. Linguisticamente fascinoso ma superfluo, perché non mi sembra questo un posto in cui la gente abbia fretta.

So che la nostra ambasciata a Nairobi ha in mente di raccogliere la storia degli italiani in Kenya nel Novecento. È una buona idea, perché qui, come dicevo, è passato di tutto e me ne accorgo durante un'affollata Pizza Italians in veranda: dai «farmacisti» negli anni Venti fino ai festaioli di Malindi, dai cooperatori ai neurochirurghi di Nairobi. In un certo modo, è tipico. L'emigrazione italiana non è come quella inglese o tedesca, solida e coordinata. I nostri movimenti di massa sono sempre movimenti di singoli, di famiglie, di piccoli paesi, di mestieri. La storia, quando ci siamo di mezzo noi italiani, si scompone in piccole storie, che rischiano di essere dimenticate.

Nei luoghi dove siamo arrivati in molti, qualcuno s'è preso la briga di raccogliere testimonianze, trovare immagini, scrivere, pubblicare e ricordare. Sull'emigrazione italiana in America del Nord, in Argentina, Brasile e Australia esiste una letteratura (carente, spesso: ma c'è). Lo stesso vale per i Paesi dove abbiamo condotto i nostri tentativi artigianali d'impero (Etiopia, Somalia, Libia). Ma il mondo è grande, e gli italiani irrequieti. Abbiamo seminato storie, ed è tempo di pensare al raccolto.

62ª Pizza Nairobi, 22 novembre 2006

COSA HO SAPUTO A SINGAPORE

Mi sono fermato qui qualche giorno, andando e tornando dall'Australia. Ho incontrato gli Italians, e grazie a loro ho scoperto alcune cose.

A Singapore usano il portafoglio e il cellulare come segnaposto nei *food courts* (mense e tavole-calde), poi si mettono in coda.

A Singapore non si vedono cartacce o lattine per strada e nei giardini; e sui muri non ci sono graffiti.

A Singapore non si possono comprare chewing-gum, perché sporcano per terra (li vendono solo i dentisti).

A Singapore si rischiano multe di mille dollari locali (473 euro) per un divieto di transito in bicicletta.

A Singapore tra le sanzioni rientrano le frustate (gli ultracinquantenni sono esenti; io sono a posto).

A Singapore semplici cittadini possono effettuare un arresto.

A Singapore, per evitare ghetti etnici, i palazzi ospitano una quota di famiglie indiane, cinesi, malesi.

A Singapore i bambini cantano l'inno nazionale tutte le mattine prima delle lezioni.

A Singapore le domestiche consegnano il passaporto ai datori di lavoro.

A Singapore mettono a morte trafficanti e spacciatori di droga.

A Singapore conducono regolarmente test sui ragazzi delle scuole (capelli, sangue, urine). Se risultano aver assunto stupefacenti, la famiglia viene espulsa.

A Singapore uno straniero Hiv-positivo non ha diritto a essere curato, ma viene deportato.

A Singapore, se cinque persone vogliono parlare di politica, devono ottenere un permesso del governo (dieci se si tratta di club o gruppo religioso).

A Singapore si parcheggia sempre col muso dell'auto verso l'uscita.

A Singapore, per uno scherzo (ha ordinato tre vassoi di hamburger per un collega ignaro), un pilota d'aereo è stato licenziato e ora rischia due anni di carcere.

A Singapore un terzo della popolazione (totale 4,5 milioni) è nato all'estero, ma la violenza urbana è praticamente sconosciuta.

A Singapore, il 28 settembre 2008, si disputerà il primo Gran Premio di Formula Uno in notturna.

A Singapore la competitività, tra il 2003 e il 2007, è stata la migliore del mondo (seguono Danimarca, Finlandia, Stati Uniti e Canada. L'Italia è 41ª).

A Singapore, in un anno, l'economia è cresciuta del 9,4 per cento.

A Singapore, vista la piccola superficie (697 chilometri quadrati), stanno costruendo depositi, laboratori e strade sotterranei.

A Singapore, temendo la concorrenza industriale cinese, hanno trovato nuove nicchie di mercato: l'ingegneria marina e le biotecnologie crescono del 40 per cento l'anno.

A Singapore «il governo è insolitamente pulito ed efficace, e il sistema d'istruzione è tra i migliori al mondo» («The Economist», ottobre 2007).

A Singapore (Marina Bay) costruiranno un quartiere avveniristico in una frazione del tempo necessario ad allargare la A4 Torino-Milano.

Ma a Singapore non c'è democrazia come la intendiamo noi. Governa da tempo un padre-padrone (il «ministro mentore» Lee Kwan Yew, ottantaquattro anni), insieme al figlio Lee Hsien Loong. Se leggendo quanto sopra avete invidiato Singapore, perciò, cominciate a preoccuparvi.

69ª Pizza Singapore, 12 ottobre 2007

QUESTO SI CHIAMA PRENDERE LE DISTANZE

Chiamarli Cincinnato è troppo. In fondo, se quella che hanno combattuto era una guerra, l'hanno perduta. Sono italiani nuovo modello: ringraziano, salutano e si ritirano lontano. Non sono molti, per adesso: le statistiche non rivelano le avanguardie. Ma ci sono, e si vedono. Basta sapere dove guardare.

Non si tratta della nuova emigrazione accademico-professionale, giovani tra i venticinque e i trentacinque che se ne vanno, nauseati dai molti traffici e dai pochi soldi dell'università italiana, o attirati dalle opportunità e dagli stipendi del mondo. Sono meno giovani; anzi, quasi-anziani. Connazionali dai cinquanta in su che lasciano l'Italia per Paesi che li fanno arrabbiare di meno.

Gli inglesi della stessa età lasciano la Gran Bretagna per posticipare la vecchiaia e anticipare l'orario del gin&tonic. Scandinavi e tedeschi cercano una combinazione di bel tempo e disciplina. Gli italiani cercano convivenza civile, una società organizzata, regole chiare, serenità e prevedibilità, la consolante assenza delle solite pubbliche facce.

C'è chi sceglie l'Europa, chi l'America del Nord. Ognuno ha la sua distanza di sicurezza. Questa è immensa: lasciando l'Italia non è possibile arrivare più lontano della Nuova Zelanda. Estrema, eppure familiare. Questo è il posto dove l'Oriente sta per tornare Occidente, e si sente.

Auckland è una delle magnifiche città d'acqua del mondo, sorella di Sydney, Vancouver, Seattle e Stoccolma. Vele ubique, niente riscaldamento, stoici piedi nudi, maori orgogliosi, spiagge bianche e rugby tutto nero, vetrate e terrazzi sul verde, femminismo e ambientalismo, niente nucleare e garbati sospetti sugli americani. Cielo primaverile che cambia, alberi pohutukawa che cominciano a mettere i fiori rossi, belle ragazze disinvolte. La Nuova Zelanda sta all'Australia come la Scozia sta all'Inghilterra, il Canada agli Usa, l'Austria alla Germania. Un buon posto, orgoglioso e diverso.

Scendendo con l'aereo sul mare di Tasmania – in quel momento magico in cui ai viaggiatori pare di intuire il mondo – il Paese sembra un'Italia più stretta e limpida, un immenso campo da golf color smeraldo a disposizione di qualche divinità. Gli abitanti si fanno chiamare «*kiwi*», dal nome di un uccello del posto, incapace di volare (è come se noi italiani ci chiamassimo «polli». Nome adatto, considerato quello che sopportiamo).

È qui che sono arrivati Paolo e Augusta dal Piemonte, Maurizio e Nadia da Opera (Milano).

Paolo Canegallo è ingegnere meccanico, classe 1938, una carriera in Rolls Royce e in Fiat a progettare e vendere motori d'aereo. Burbero e loquace, è convinto che l'Italia sia un posto di troppi compromessi; così se n'è andato, con la moglie che ama le rose in giardino e ha imparato il bridge. Oggi hanno una casa nella Coromandel Peninsula, un fuoristrada giapponese e nessuna nostalgia.

Maurizio Piglia, neo-cinquantenne, è un gestore di fondi: un lavoro che può fare dovunque, grazie a Internet. Delusioni sul lavoro, voglia di cambiare, la sensazione «adesso o mai più». «Ho l'obbligo di far bene» spiega «perché qui i conti correnti danno l'8 per cento.» Anche per lui e Nadia, una casa davanti al mare. A Opera, non c'è.

Oggi le due coppie hanno amici, passatempi, abitudini. Sembrano felici. L'Italia è Corriere.it, un volto dietro la telecamera di Skype, una vacanza l'anno, un raro amico in visita. Racconta Nadia: «Quando siamo partiti, i nostri figli – ventenni e trentenni – hanno protestato: "Ehi, una volta erano i figli che se ne andavano!". Ho risposto: "I tempi cambiano, ragazzi"».

71ª Pizza Auckland, 20 ottobre 2007

IL RETTILINEO PIÙ LUNGO DEL MONDO

Questo racconto è stato scritto su un taccuino regalato a Mantova, con una biro trovata a Melbourne, sotto lo sguardo di otto pensionati australiani, davanti a un sosia di Bill Clinton, tra emù, aquile e canguri. Qui dovrei essere più preciso, perché di canguri, sull'Indian Pacific, se ne vedono tanti. Molti stilizzati, riprodotti, disegnati sulle porte, sui menu e sui tovaglioli. Altri, defunti, vicino ai binari; qualcuno vivo, in distanza, con quell'aria stupefatta che hanno solo i canguri alla vista d'un treno e i parlamentari italiani beccati con una ragazza in una stanza d'albergo.

Questo, più che un reportage, è una confessione: come un cinquantenne apparentemente normale pianifichi, prenoti, brighi, lotti, discuta e attraversi il mondo per salire su un treno che va quasi sempre diritto. Il viaggio, 4352 chilometri, dura tre giorni e tre notti. Si parte da Sydney il sabato e si arriva a Perth il martedì. Binario unico. Velocità media 85 chilometri all'ora, con punte di 115. Il tratto più eccitante è il Nullarbor, esteso come l'Italia, attraversato dal più lungo rettilineo ferroviario del Pianeta (478 chilometri). In Australia pronunciano «*Nallabòr*», viene dal latino e vuol dire «nessun albero». Diciamo che è una definizione esatta, e ottimista.

Ma il niente ha il suo fascino, per un italiano che viene dal Paese del troppo.

Enti del turismo, agenzie di viaggio e signorine telefoniche mi avevano assicurato che il posto fino a Perth non c'era. Ad Adelaide, avrei dovuto prendere un aereo. Ma i viaggiatori italiani non discutono; diffidano. Non contestano; controllano. Alla Sydney Central Station domando: «C'è posto?». Risposta: «Abbiamo una cancellazione. Un posto, in Red Kangaroo». Ignorando le implicazioni cromatiche dei marsupiali, rispondo: «Lo prendo».

Scopro che finirò in seconda classe. Dev'essere un destino: mi è successo anche in viaggio di nozze, sulla Transiberiana ancora sovietica. Ma va bene comunque: l'Indian Pacific è un altro dei grandi viaggi in treno sul Pianeta. La linea venne costruita per convincere le colonie dell'Australia occidentale a unirsi alla federazione. L'opera, inaugurata nel 1917, venne realizzata in cinque anni usando picconi, badili, carri e cammelli. Restava il problema dei diversi scartamenti: per andare da Sydney a Perth occorreva cambiar treno sei volte. Io devo solo cambiar cuccetta ad Adelaide. Si può fare.

Salire su un vecchio treno è una cerimonia piena di gioia e di apprensione, come salire su una nuova barca. Stanotte, e solo per stanotte, sono ospite in Gold Kangaroo, la prima classe. La cuccetta è rivestita in legno, e ci sono due letti sovrapposti, perpendicolari alle rotaie. Vedo un minuscolo bagno, con una doccia da puffi. Dovunque, nascondigli, ripostigli e curiosi meccanismi. Alle 14.55, mentre studio il lavabo a scomparsa, il treno si muove. Alle 15.05 frena di colpo, e picchio lo stinco contro la porta aperta. Colpa mia: avrei dovuto seguire i consigli *Train Safe* (Treno sicuro) pubblicati sulla rivista di bordo, ed eseguire gli esercizi («Spingi il sedere indietro sul sedile. Alza un gluteo. Ripeti tre volte per lato»).

Dopo un'ora mi sposto nella carrozza-soggiorno, occupata da una comitiva di pensionati di Bega, New South Wales. Non guardano le Blue Mountains dal finestrino: sono impegnati ad applaudire il capotreno che spiega la vita a bordo. L'uomo somiglia a Bill Clinton, e lo sa. Come l'ex presidente, ama sedurre l'uditorio. Spiega che il cartello «*Dress Codes Apply*» (Rispettare le regole di abbigliamento) vuol dire «Divieto di infradito». Pare infatti che, passando da un vagone all'altro, qualcuno ci abbia lasciato l'alluce.

Continuo l'esplorazione: attraverso vagone-ristorante, cucine, bagagliaio, seconda classe (Red Kangaroo, dove andrò domani). In fondo – isolata, splendida e vuota – sta la Vice Royal Lounge Car, la carrozza che portò il rappresentante della Corona britannica alla cerimonia d'apertura della Trans Australian Railway. Mi informano che viene utilizzata solo in occasioni speciali. In questo viaggio è vuota e *off limits*. Sorrido, e mentalmente mi prenoto.

Torno in Gold Kangaroo, tra gli euforici pensionati del New South Wales. Alcuni sanno tutto di treni, e si scambiano testi esoterici. L'autista-accompagnatore si chiama Malcolm, e mi invita al suo tavolo per cena. Ha cinquant'anni, e somiglia al maggiore dei fratelli Dalton in *Lucky Luke*: alto, allampanato, mascella lunga, un ghigno ferocemente amichevole. Stasera ha deciso che deve occuparsi della mia educazione ferroviaria. «Fino a poco tempo fa» spiega «auto e moto da fuoristrada potevano costeggiare i binari. Ma ogni volta che si rompeva il mezzo il conducente, per non abbrustolire nell'*outback,* fermava l'Indian Pacific. Così oggi è vietato.»

Al nostro tavolo siedono anche Bill – australiano, settant'anni, compagno di scuola dell'ex primo ministro John Howard – e Carl, inglese, quarant'anni. È stato scaricato da un'industria farmaceutica: con la buonuscita ha deciso di viaggiare. Racconta del figlio adolescente ossessionato dagli opali e spiega la differenza tra *singlets, doublets* e *triplets.* Viene a salutarci il cuoco di Liverpool. Beviamo Shiraz e spostiamo gli orologi avanti di trenta minuti. Malcolm-Dalton mi dice: «Tu ed io siamo uguali. *Bus drivers* (guidatori di autobus) e *travel writers* (scrittori di viaggio) lavorano in vacanza».

Saluto e mi ritiro. In cuccetta avrò qualcosa da meditare.

C'è del sadismo, nei capitreno. Alle 6.10 il sosia di Clinton annuncia che alle 6.30 annuncerà l'inizio della colazione del primo e del secondo turno (6.45 e 7.15). Usa un inglese enfatico: *Breakfast will commence,* dice. Poi informa che i passeggeri potranno *detrain* (scendere) a Broken Hill, sempre in due turni. L'Indian Pacific – 25 carrozze, 2 locomotive, 687 metri – è troppo lungo per la banchina.

Non è facile seguire questi ragionamenti all'alba, ma Broken Hill vale la pena. La gita in città è stata annullata, ma intravediamo strade diritte, memorie di miniere e gioco d'azzardo. Qui sono venuti a lavorare molti italiani, nel secolo scorso; più ancora ad Adelaide, dove arriviamo alle 15.00 e ripartiamo alle 18.40. C'è tempo per un'escursione, un saluto agli Italians, una visita dal console e una scoperta: esistono 120 club regionali italiani, di cui 25 con sede propria; ma non c'è un Istituto Italiano di Cultura.

Risalgo, il treno riparte. I pensionati del New South Wales sono eccitati. L'Indian Pacific li sbatacchia come peluche, ma stanno arrivando gli aperitivi e i figli sono distanti: cosa possono volere di più? Mentre il treno s'avvicina alle luci di Port Augusta – l'ultimo supermercato prima di Alice Springs – Malcolm-Dalton chiede all'inserviente da dove viene. Si chiama Gabrielle. Siede con noi e sorride come sanno fare solo le infermiere, le maestre d'asilo e le ragazze sui treni. «Norfolk Island», risponde. E lui: «Norfolk Island? L'"inferno nel Pacifico"! Ci mandavano i criminali peggiori. Gli abitanti di oggi sono i discendenti». Gabrielle smette di sorridere, si alza e se ne va. Malcolm confessa che gli succede spesso di dire frasi sbagliate alle ragazze.

Notte in Red Kangaroo. Bagno in comune. Il corridoio, stretto e ondulato, obbliga al senso unico alternato. Le cabine, di conseguenza, hanno forme sinuose. Il letto è parallelo ai binari, e consente di addormentarsi guardando il deserto del South Australia che corre incontro. Noi passeggeri di seconda classe sappiamo accontentarci.

Nel buio australe l'Indian Pacific è passato da Bookaloo, Wirraminna, Kultanaby e Kingoonya: luoghi che potrebbero interessare i nuovi genitori italiani, sempre in cerca di nomi originali per i figli. All'alba arriva a Tarcoola, fondata dai cercatori d'oro nel 1901. Aveva duemila abitanti, oggi ne ha 2 (due); resta il punto d'incontro tra Indian Pacific (est-ovest, Perth-Sydney) e The Ghan (sud-nord, Adelaide-Darwin). I treni si fermano otto volte la settimana, e qualcuno smonta. Non noi.

Entriamo nel Nullarbor, superiamo Ooldea: trenta chilometri a nord c'è Maralinga, dove gli inglesi sperimentarono bombe atomiche dal 1956 al 1963, dopo aver sloggiato gli aborigeni. Ci fermiamo, poco dopo, a Cook. Scendiamo a fotografare i cartelli. Tra i migliori: «Il nostro ospedale ha bisogno di te: ammalati». E «*If you're a crook / Come to*

Cook» (Se sei un poco di buono / Vieni a Cook). Ma neppure i delinquenti vogliono vivere qui. Ufficialmente, Cook ha 4 (quattro) abitanti, ma non si vedono. Probabilmente si sono nascosti per non essere fotografati.

Trovo per terra una vite grande come una bottiglia, e la raccolgo come souvenir (se la dimentico nel bagaglio a mano, all'aeroporto mi arrestano). Ripartiamo. Mi dirigo verso la penultima carrozza, l'esclusiva e vietata Vice Royal Lounge Car. Mi sistemo in poltrona e per due ore guardo la terra rossa, il cielo azzurro e le grandi aquile (*wedge-tail eagles*) che salgono fino a duemila metri, ignorando il treno di cui sono il simbolo. Ogni tanto arriva una persona in divisa e, gentilmente, mi chiede perché sono lì. Rispondo sorridendo: «Sono italiano». La spiegazione sembra convincere tutti, e resto ad ammirare il tramonto sul Nullarbor. Tra poco l'aperitivo coi pensionati, la cena, le nuove *gaffes* del fratello Dalton. Ci sono modi peggiori di passare una serata.

Mattina azzurra di primavera, cielo largo, quindicesimo compleanno di mio figlio Antonio dall'altra parte del mondo. Ieri sera, la sosta a Kalgoorlie. Il tassista mi ha mostrato il campo di calcio e l'apocalittico SuperPit, un'immensa miniera a cielo aperto, illuminata a giorno. La notte sull'Indian Pacific – la terza – sarebbe trascorsa tranquilla, non fosse stato per il cellulare, che ha ripreso a funzionare. «Viene ospite al nostro programma televisivo?», chiede una voce italiana. Rispondo nel dormiveglia: «Sono in mezzo all'Australia». La voce: «Ok, ma viene al nostro programma?». Sto per dire: piuttosto mi faccio altri tre giorni qui sopra, e ritorno a Sydney.

Invece scendo a Perth, Western Australia. Bella luce di mare, e bello trovarla alla fine di un continente, scendendo da un treno.

Immigrazione e illuminazione

Perth è una città cui ho trovato solo due difetti: pochi taxi e qualche mosca. Per il resto, un'aria trasparente come a Los Angeles negli anni Settanta: tutte le cose illuminate. Mi racconta John Kinder, professore di Italian Studies alla University of Western Australia: «È un avamposto, e la gente prende iniziative. Se non fai le cose, nessuno viene a farle per te». La grande città più vicina sta a Bali, poi viene Adelaide. Perth – nome scozzese, molti inglesi, la prima lingua straniera resta l'italiano portato dai nostri immigranti – è la metropoli più isolata del Pianeta. Per prendere le distanze da Mastella, Di Pietro e le beghe governative italiane è una soluzione drastica, lo ammetto. Ma funziona.

La combinazione di vetro, verde, fiume e mare; i quartieri ben ritagliati; l'assenza della folla; l'aria benestante (grazie alle ricchezze minerarie che fanno gola alla Cina): il posto è così funzionale da diventar sospetto. In un'intervista alla radio locale, ieri, ho chiesto: «Non è che per caso siamo su *Second Life*, e non me l'avete detto?».

I molti Italians felici che incontro – stasera pizza insieme – confermano. Qualcuno ha suggerito una spiegazione: la politica d'immigrazione. Realista o spietata: scegliete voi. Non è più, come un tempo, *White Australia*: ora non conta il colore della pelle, ma l'istruzione, l'età, la salute, il contributo alla società. Uno studente può venire in «vacanza lavorativa»; per gli altri le regole sono rigide. Me le ha riassunte Guido Alvigini, un avvocato biellese che vive a Sydney, e da anni segue la materia.

Il programma comprende tre flussi: immigrazione qualificata (*skilled stream*), ricongiungimento familiare (*family stream*), perseguitati e rifugiati politici (*humanitarian stream*). Per il 2007/2008 sono disponibili circa 150.000 nuovi visti permanenti: 100.000 per i lavoratori qualificati, 40.000 per le famiglie, il resto per i rifugiati. L'entrata senza visto comporta la detenzione; e, dopo i vari gradi di giudizio, l'espulsione.

I richiedenti vengono selezionati con un sistema a punti, devono avere meno di quarantacinque anni (a meno che portino qui l'attività) e soddisfare requisiti medici e di pubblica sicurezza (lo stesso in Nuova Zelanda: un professionista italiano è stato costretto a dimagrire da 135 a 105 chili, pena il rifiuto del visto).

L'Australia, insomma, ha un piano: perseguito per anni, anche a costo di alcune durezze, dal governo conservatore di John Howard (un tipetto curioso: sembra Gollum con gli occhiali e parla con la voce di Homer Simpson). L'opposizione laburista, sostanzialmente, condivide: si vota il 24 novembre, e di immigrazione si parla poco o niente.

In Italia siamo a 3,7 milioni di immigrati regolari (aumento del 21,6 per cento in un anno!), pari al 6,2 per cento della popolazione (la media Ue è del 5,6 per cento, e per anni siamo stati in coda). Il ministro dell'Interno Amato ci ha spiegato perché è contrario al requisito della conoscenza minima della lingua per i nuovi arrivati. Forse dovrebbe anche spiegarci qual è il suo modello per l'Italia del 2015: molti di noi sono interessati.

Non dobbiamo per forza imitare l'Australia. Ma almeno qui hanno agito. Noi, da anni, ci limitiamo a reagire.

Sulle tracce di Alberto Sordi

La ragazza davanti al bordello dice: *Excuse me?* Non è convinta che uno straniero sceso da un taxi in una notte tiepida voglia parlare di un'insegna. Ma la scritta è lì, illuminata, italiana: QUESTA CASA. E sotto, in inglese, *The only historical bordello in Australia*, l'unico bordello storico in Australia.

Questo è Far West agli antipodi. Kalgoorlie è città di miniere, gente spiccia, strade diritte, bar vivaci. Ho in tasca un libretto portato dall'Italia. S'intitola *Diario australiano*, l'ha scritto Rodolfo Sonego (1921-2000), lo sceneggiatore principe di Alberto Sordi. Sono gli appunti dei sopralluoghi per il film *Bello, onesto, emigrato Australia sposerebbe compaesana illibata* (1971). Li ha trovati la moglie Allegra, li ha sistemati Tatti Sanguineti, li ha pubblicati Adelphi.

Perché io sia qui nella notte australe a parlare di un libro con una prostituta, va spiegato. In viaggio da Sydney a Perth ho letto *Diario australiano*, e ho scoperto che Sonego, affascinato dal posto, s'era fermato proprio qui. L'ho fatto anch'io.

Sul piazzale della stazione c'è ancora il Railway Hotel, ma non c'è più Frank, sardo, che diceva: «Sì, qui è tutto oro: anche dietro il cortile c'è una miniera». Non c'è Mister Recchia, che si alzava a mezzogiorno e offriva equivoci passaggi; e neppure Pietro, bergamasco, secondo cui portarsi a letto un'australiana era «come bere una botte di birra». Non ci sono gli immigrati che si giocavano l'oro a *two ups*, testa o croce con una moneta da 20 centesimi, o lo regalavano a una puttanella siciliana perché «volevano fare l'amore in italiano». Ma qualcosa, di quei tempi, resta nell'aria.

Noi italiani siamo arrivati in Australia a ondate, e ognuna ha lasciato il segno. All'inizio del Novecento, dal Nord, per lavorare in miniera. Durante il fascismo, per ritrovarci etichettati *enemy aliens* durante la guerra, e finire internati. Dopo il ristabilimento delle relazioni diplomatiche (1948), con la benedizione degli Usa che di immigrati dall'Italia ne avevano a sufficienza.

Nel dopoguerra, gli italiani arrivavano qui dopo un mese di nave. Arrivavano in tanti: la nostra immigrazione, dopo quella britannica, è stata la più numerosa (360.000 persone dal 1947 al 1974). Arrivavano i settentrionali e, finalmente, i meridionali. Accettavano qualsiasi lavoro: minatori all'ovest, tagliatori di canne nel nord-est, muratori e operai dovunque. Alcuni hanno fatto fortuna. In un ristorante di Perth mi hanno presentato Tom D'Orsogna, classe 1919, che produce salumi e veste come un personaggio di D'Annunzio. A Canberra ho parlato col bresciano Pastrello, che oggi tratta cavalli e calciatori, ma ricorda dove ha cominciato: «Non avevamo paura dei serpenti, nelle piantagioni del Queensland. Eravamo così incazzati che ci guardavano e scappavano».

Durante un precedente viaggio in Australia, nel 1983, ero andato a trovare il padre cappuccino Fulvio Spighi, nel convento di Leichhardt, a Sydney. Si commuoveva parlando dei «cazzottatori», gli italiani che negli anni Cinquanta, quando gli rifiutavano da bere chiamandoli *dagoes* o *wogs*, demolivano il locale («Bravi ragazzi, friulani e bergamaschi, braccia come tronchi. Vedesse com'erano organizzati! Si mettevano due metri uno dall'altro: il più grosso di tutti – il cannoniere – stava sulla porta e scaraventava la gente in strada. Ogni tanto finivano in prigione, e noi cappuccini li andavamo a tirar fuori»).

Venticinque anni dopo, sono tornato a Leichhardt. Il quartiere è anestetizzato, ripulito, moderno. Ci sono locali alla moda e vita notturna. Ho appuntamento con alcuni ragazzi australiani: d'italiano hanno solo il cognome, gli occhi, qualche ricordo di famiglia. Dei cazzottatori potrebbero essere – magari lo sono davvero – i nipoti: figli dei figli. Sono istruiti ed eleganti. Descrivono i rari viaggi in Italia come esperienze romantiche, ma sconcertanti. L'Australia, che ha sfamato i loro nonni e istruito i loro padri, è diventata moderna. L'Italia – soprattutto al Sud – è soltanto cambiata. Al posto di tradizioni comprensibili, meccanismi inconfessabili.

Ho visto giovani italo-australiani anche a Canberra, a Melbourne, ad Adelaide, a Perth. L'impressione è che vivano in un limbo: sempre un po' italiani in Australia, decisamente australiani per l'Italia. A differenza dei genitori

– che tendevano a sposarsi con altri figli d'immigrati, spesso della stessa regione – vanno a cercarsi mogli e mariti dove càpita. La politica multiculturale degli ultimi trentacinque anni li ha aiutati, e oggi costituiscono una minoranza modello. Ma comunque una minoranza, con qualche problema d'identità. Questa non è più la *White Australia* che guardava con sospetto gli italiani nati a sud di Livorno, ma la matrice resta anglosassone. Il calcio e il cappuccino, ormai, sono ottimi; ma il rugby e la birra contano ancora di più.

Se i genitori e i nonni si preoccupano delle pensioni, e si lamentano della legge sulla cittadinanza, i nuovi italo-australiani sembrano ben disposti verso l'Italia. Mi racconta (in inglese) Loretta Baldassar, antropologa alla University of Western Australia, autrice di una storia dell'immigrazione veneta (*From Paesani to Global Italians*, 2005): «I pregiudizi associati coi primi immigrati (scuri, sporchi, inaffidabili) sono stati sostituiti da connotazioni positive. L'Italia oggi è vista come nazione colta, sofisticata, ben vestita, ben nutrita. Oggi c'è un capitale simbolico nel fatto di essere italiani». Lo conferma Maria Di Giambattista, che compare alla Pizza Italians con l'abito nero e i capelli raccolti: «A scuola, cinquant'anni fa, i compagni mi prendevano in giro perché *il mio pane non era quadrato* e gocciolava d'olio. Adesso, in tutti i ristoranti, chiedono la stessa cosa».

«La terza generazione» spiega padre Antonio Paganoni, scalabriniano, vicario episcopale per gli emigranti «ha un *rigurgito* d'Italia. È come se sentisse di doversi aggrappare a qualcosa.» Intorno al St Brigid's Presbytery, in effetti, tutto è cambiato: Northbridge, il vecchio quartiere italiano di Perth, oggi è pieno di bar asiatici e parcheggi. L'Italian Club di Fitzgerald Street, fondato nel 1934, è passato da 7000 a 1300 soci. Il tenore Beppe Bertinazzo e i suoi ricordi della Scala non bastano ad attirare i figli dei figli degli italiani. Hanno dovuto arruolare le *skimpies*, le cameriere in mutande, il venerdì pomeriggio. Ci sono anche stasera, e sculettano tra i tavoli. La signora Christine Madaschi, membro del consiglio direttivo del club, disapprova, ma tollera.

No, non è facile essere giovani italo-australiani nel XXI secolo. Le centinaia di associazioni italiane sono vitali, ma perpetuano riti, costumi e legami locali; sono casseforti di ricordi e rivalità, non ponti verso la nuova Italia. Le istituzioni – ambasciata, consolati, istituti di cultura – faticano a intercettare questa terza generazione, mobile e autosufficiente. L'immigrazione professionale – i giovani Italians che arrivano per una *working holiday*, poi rimangono – resta un universo parallelo, e i contatti sono occasionali. La radiotelevisione pubblica Sbs (Special Broadcasting System), per avvicinare i pronipoti all'Italia, usa lo sport, l'attualità, la musica. Ma non è semplice colmare il fossato scavato, negli anni, da fantasia, nostalgia e scarsa informazione.

Eppure l'Italia – confusa, magica, idealizzata – è sempre lì, come un'isola sull'orizzonte. Ne ho avuto la prova all'Italian Club di Perth. Fra biliardi, fotografie sbiadite e lupe romane politicamente scorrette, parlano di calcio. In inglese, d'accordo; però ne parlano. E ai Mondiali 2006 – come gli italiani di Germania, diversamente dagli italiani d'Argentina e Brasile – tifavano quasi tutti per l'Italia. Hanno avuto un problema di coscienza solo quando gli azzurri hanno incontrato l'Australia. Poi qualcuno ha osservato come, in fondo, avere due squadre del cuore fosse la condizione ideale: «*We can't lose*, non possiamo perdere!».

Più italiano di così.

Cose buone downunder

Lo suggerisce la combinazione di violenza autoctona, criminalità d'importazione, imprevidenza politica, scoramento civile e generiche cattive notizie: bisogna tener su il morale. Rientrato dalla primavera australe, propongo un riassunto: alcune cose che mi sono piaciute *downunder*.

1. La luce cinematografica di Perth. Sembrano giornate di montagna, ma c'è il mare.

2. Il porto di Sydney dalla camera d'albergo. Come una cartolina, ma i motoscafi si muovono (pieni di giapponesi entusiasti).

3. Melbourne, St Kilda: ottovolante di legno, case bianche, un'aria da riviera inglese senza inglesi. Gemellata a Milano. Ma dov'è il mare, da noi?

4. Il nuovo Parlamento, alto contro il cielo blu di Canberra. Un'immagine pop, opera di un ragazzo italiano che mi accompagna saltando come un giovane canguro (architetto Aldo Giurgola, Roma 1920).

5. Canberra, la capitale. Gli australiani la deridono, ma non è male (ci ho passato tre notti. Nessun visitatore dall'Italia, da anni, era arrivato a tanto).

6. Adelaide (South Australia). Ha l'aria di dire «Io sto qui a prendere il sole, voi fate un po' quello che volete».

7. Gli italiani d'Australia. Sono arrivati cinquant'anni fa, hanno stretto i denti, si sono fatti rispettare. Molti minatori della Val Seriana e della Val Brembana. Pare che una comunità aborigena, nell'*outback* del Western Australia, parli un po' di bergamasco.

8. Birra Little Creatures (Fremantle, WA) e Sauvignon bianco del South Australia.

9. *Thong shoes,* le infradito. L'idea australiana di abbigliamento formale.

10. La costa occidentale: come la Gallura, ma è venticinque volte più lunga. Trecento chilometri sopra Perth, i Pinnacles: 182.074 monoliti piantati nella sabbia color polenta. Chissà chi li ha contati tutti.

11. Il verde severo degli eucalipti (*karri*). Sta bene con il rosso della terra e l'azzurro del cielo.

12. Aussie, Oz, Downunder, Wallabies: gli australiani amano soprannominare il proprio mondo, e hanno espressioni tutte loro. Al posto di «prego» e «non c'è di che», sempre *«No worries»*, non preoccuparti. Più che un modo di dire, è una filosofia.

13. L'idea che il sole, a mezzogiorno, stia a nord. Alcuni residenti italiani, dopo vent'anni, ancora non l'accettano.

14. Vegemite. A me piace (come, cos'è? Non si può spiegare, bisogna assaggiare).

15. I quadri-mappa degli aborigeni. Di questo posto hanno capito tutto, ma non è servito a niente.

16. I bar-saloon di Kalgoorlie, nel Far West australiano (c'è). Le cameriere (*skimpies*) servono da bere in slip e reggiseno, e piacciono ai minatori a fine turno. Noi italiani non ci facciamo caso: sembra la nostra televisione.

17. La politica. Si discute di problemi e progetti, non di persone e passato.

18. Il fatalismo. «Se ci sono gli squali, si vedono le pinne. Se non si vedono le pinne, si può fare il bagno» (L.B. a Cottesloe Beach, vicino Perth). Fortunati, gli australiani. Gli squali italiani hanno due gambe, sorridono e non vengono mai a galla. Così ce ne accorgiamo tardi, e ci fregano sempre.

70ª Pizza Canberra, 15 ottobre 2007
72ª Pizza Melbourne, 23 ottobre 2007
73ª Pizza Sydney, 25 ottobre 2007
74ª Pizza Perth, 1° novembre 2007

BEIRUT. LA PIZZA SI FA, HEZBOLLAH O NON HEZBOLLAH

Hanno cominciato a sparare alle 17.30, appena Nasrallah ha finito di parlare in televisione. «Il governo libanese» ha detto il leader del movimento sciita Hezbollah, vestito di nero e d'arancio «ci ha dichiarato guerra.» Prima esplosione, alle 18.01. Oltre la finestra aperta: cielo azzurro, raffiche secche, odore di primavera, il basso delle granate, mare sullo sfondo. Sembra d'essere finiti nel sogno di qualcun altro.

Fuori, per le strade di quella che era una città bellissima, sparatorie tra le fazioni sciite e sunnite: come se non aspettassero altro. L'esercito libanese, per ora, non si mette in mezzo. Molti, nella truppa, sono sciiti, e la decisione di intervenire potrebbe spaccare l'ultima forza di unità nazionale. Dai carri armati sbucano teste di ragazzi nati durante la guerra civile (1975-1990). Mai, da allora, Beirut c'era tornata così vicina. Il Libano delle fazioni è ricaduto nel suo vizio assurdo.

Hezbollah non vuole che il governo smantelli la sua

rete privata di telecomunicazioni: mercoledì ha preso in ostaggio l'aeroporto; ieri, il discorso di Nasrallah e le sparatorie. I libanesi hanno l'occhio lungo: sapevano che sarebbe andata a finir male. Da due giorni le strade sono silenziose, i supermercati svuotati, i ristoranti deserti. A Le Pêcheur, sulla Corniche, tre tavoli occupati; piccole onde contro i vetri, navi mercantili all'orizzonte. I camerieri, consegnati *hummus* e *tabuli*, parlottano tra loro. Tutti hanno una casa, e devono tornarci.

Siriani contro anti-siriani, governo sunnita filoccidentale e opposizione sciita, maroniti incapaci di issare un proprio uomo alla presidenza, come vuole la tradizione. Il rituale libanese – «un regime feudale mascherato», sussurra ridacchiando un conoscente locale – s'è incattivito di colpo. Nessuno, quando viene buio, esce per le strade. Si assiste, si aspetta. Ci sono Internet, i cellulari, la televisione: le notti di battaglia oggi non si vedono, s'intuiscono.

Credo che il volo Mea 236, da Roma e Milano, sia stato l'ultimo ad atterrare a Beirut, mercoledì: all'uscita ci aspettavano i carabinieri del Tuscania, mandati dall'ambasciatore Checchia a raccogliere gli italiani in arrivo. Per un chilometro, in fila indiana, tirando i bagagli, abbiamo camminato lungo Airport Road, che attraversa i quartieri sciiti, e si lascia a destra il campo palestinese di Shatila. Ogni duecento metri, prima di arrivare ai fuoristrada in attesa, una barricata artigianale – sassi, gomme, ringhiere – e una piccola folla che ci studiava. Barbe, telefonini, occhiali da sole; niente armi visibili, non ancora. Ragazzini in motorino passavano dai varchi. Bambini eccitatissimi, anche loro con la maglietta nera di Hezbollah, cercavano sassi per aggiungerli al mucchio. Qualcuno salutava: «Ciao Italia». La prova che il transito era autorizzato. I nostri militari, come i cooperatori, da queste parti hanno fatto un buon lavoro.

Sono venuto qui per una tavola rotonda alla Lebanese American University e una conferenza. Surreale – anzi, impossibile – parlare del «ruolo del giornalista nel dialogo interculturale». Così ieri ho girato la città, in un'auto con targa diplomatica: qualche varco si apriva, ma non tutti.

La tendopoli che Hezbollah ha piantato in Sodeco Square nel dicembre 2006, dopo la guerra con Israele, è ancora lì. Carri armati bloccano la strada per Hamra, altri circondano l'ufficio di Hariri, il figlio del presidente ucciso. La casa cittadina dei Jumblatt – drusi di montagna, quelli che il «Partito di Dio» considera i veri avversari – è chiusa come uno scrigno. Dovunque gigantografie di caduti, degli attentati che hanno ritmato la vita del Libano anche in questi anni di pace violenta. Ognuna delle diciotto comunità, come un'organizzatissima tifoseria, ha i suoi simboli, i suoi striscioni, i suoi martiri, i suoi colori. È il marketing del risentimento, e funziona.

Stasera è in programma l'80ª Pizza Italians, dopo un giro del mondo durato nove anni, attraverso 40 Paesi. Cento iscritti: italiani da esportazione, amici libanesi, l'Istituto di Cultura. Non abbiamo ancora cancellato. Mollare, a Beirut, non si usa.

***

Alfredo abita a Hamra e ha appeso la bandiera rosanera del Palermo al balcone. Dice: è meno probabile che mi sparino in casa. Scelta originale, che presuppone due cose: grande fiducia nella cultura calcistica degli Hezbollah; e la consapevolezza che nessuna delle fazioni libanesi abbia il rosa e il nero come colori.

Ieri il discorso bellicoso del premier Siniora, poi il comunicato conciliante dell'esercito e l'annuncio di Amal, dove si parla solo di «disobbedienza civile». Beirut – dove a ogni forte spavento segue un equivalente sollievo – ieri s'è presa una giornata di pausa. Due morti a un funerale, una radio attaccata a Mar Elias, qualche raffica udibile anche ad Achrafieh, proveniente dai quartieri vicini. Qui hanno visto di peggio.

Ho seguito con un collega dell'Ansa l'inizio di una manifestazione della «società civile libanese» per Future Tv, la televisione della famiglia Hariri, chiusa dalle milizie sciite. Settecento persone, dieci bandiere, qualche canzone, molti blindati a sorvegliare. Una giurista libanese, con la faccia grave, vuòl sapere cosa penso della situazione. Chiedo la domanda di riserva, e accetto una gomma all'arancio.

Da Paul, caffè all'aperto a Gemmayze, gli italiani di Beirut hanno più opinioni di me. Piante verdi – bene raro – con vista sui carri armati che vegliano l'ingresso a Piazza dei Martiri. Siamo una dozzina, pari al 2 per cento dei connazionali in città. Molti sono giovani. Nessuno sembra incosciente. Alcuni ricevono telefonate preoccupate dall'Italia, e non si preoccupano. Tanti impegnati nella cooperazione, la grande industria italiana quaggiù, che ci ha guadagnato simpatie e lasciapassare.

Salta fuori una foto: un gruppo è sdraiato in corridoio, il posto più sicuro della casa (ma sorride, per fortuna: coraggio e vino libanese?). Silvia, Chiara e Alessandra vengono elette «le recluse di Hamra», il quartiere degli scontri peggiori: oggi sono uscite di casa, sperano di poterci tornare. Silvia è di Udine, e si occupa di agricoltura; Chiara, bresciana, coordina progetti; Alessandra, con Fabio e Samuele, organizza tra l'altro le «Palestiniadi», piccole olimpiadi in sei campi-profughi palestinesi. Sei specialità: basket, pallavolo, tennis-tavolo, 100 e 400 metri, salto in lungo. Niente calcio (accende gli animi) né tiro (per motivi evidenti).

Andrea, torinese stile Jovanotti, cura «Cinemarena», un programma itinerante iniziato in Mozambico (film d'istruzione e d'intrattenimento, compreso Fellini). Ilaria, siciliana, sospira pensando al rientro in Italia, cancellato (per mancanza di volo, di aereo, di aeroporto e di strada che conduce al medesimo).

Notizie di Liban Call, chiamate sui cellulari, la rete degli italiani fa il resto. Samuele è qui da gennaio, ma ha imparato: a reagire, a uscire, a fermarsi ai posti di blocco accendendo la luce di cortesia. Maurizio – lavora per l'Onu, ci conoscevamo già – rimette il giubbotto antiproiettile turchese, sale in moto e parte: c'è gente diretta in Siria, l'unico confine aperto, bisogna occuparsene. Qualcuno propone un giro all'Abc, che qui non è una tv ma uno shopping mall.

Compriamo una mappa della città – utile per capire i posti da evitare – e vediamo che la Beirut-bene ha rimesso il naso, e il Suv, fuori casa. Troviamo il banchetto «Run for Peace», la maratonina del 25 maggio, sponsorizzata dall'Italia (vuoto: forse gli incaricati hanno preso il motto alla lettera). Sciami di adolescenti brune coi capelli stirati: potremmo essere a Bergamo, Bologna o Bari. Tutto intorno, occhi memorabili di belle ragazze, come in tutte le città del mondo che iniziano con la B.

Quante cose s'imparano, prima di una Pizza Italians (che stasera si fa, Hezbollah o non Hezbollah).

***

Immaginate una città dove i bancomat funzionano, l'immondizia viene portata via, i cinema sono aperti, le auto circolano, i ristoranti lentamente tornano a riempirsi. Solo che non si può andar via. «*Leaving New York never easy*», cantavano i Rem. Ma anche lasciare Beirut non è mica tanto facile.

Non c'è straniero che, in questi giorni, non abbia posto o risposto alla domanda: come partire di qui? Su una terrazza di West Beirut, con i colleghi di Ansa, «Il Foglio», «il manifesto», Rai, «la Repubblica» e «Il Sole 24 Ore» – mentre quest'ultimo passeggiava sul cornicione fotografando le luci della baia – abbiamo condotto un'indagine filosofica. L'aeroporto è chiuso, il porto fermo, i confini di terra incerti. Accadesse in Norvegia, la popolazione sarebbe sconvolta. Ma questo è il Libano. Quindi, parliamone.

L'aeroporto internazionale Hariri è inutilizzabile. Dal 7 maggio la strada d'accesso è ostaggio di Hezbollah, e tutto lascia pensare che il «Partito di Dio» non voglia mollarla fino alle dimissioni del governo pro-occidentale di Siniora. Ragazzoni in maglietta nera hanno formato barricate con terra e copertoni; tra una e l'altra, organizzano barbecue. L'esercito non muove un dito. Ergo, voli cancellati.

«Inutilizzabile», però, non vuol dire chiuso. Ieri è atterrata la solita delegazione della Lega Araba (auguri), e si favoleggiava di voli privati che fanno scalo ad Amman sulla rotta del Kurdistan iracheno (400 dollari a testa, anticipati). In teoria, passeggeri ottimisti dovrebbero recarsi in aeroporto, dribblando le barricate di Hezbollah, e sperare che piloti e uomini-radar abbiano fatto altrettanto.

Anche il porto è fermo: e ci si chiede quanto possa reggere la città (la merce nei supermercati cala, le scorte di benzina scendono). «Fermo», però, non vuol dire bloccato. Da un ingresso sorvegliato dall'esercito si passa. Sopra Beirut poi c'è Jounieh, il quartiere-rifugio dei cristiani durante la guerra civile. Qui hanno fiutato il business: barche private fino a Larnaca, costa sud di Cipro. Sauditi, kuwaitiani e altre ambasciate arabe hanno evacuato così. Prezzi da 500 a 2000 dollari per persona. Si va da allegri scafisti che tentano il record sulla distanza a motonavi (speriamo) nei prossimi giorni. Gli antichi fenici, commercianti e navigatori, sarebbero orgogliosi dei pronipoti.

Resta il viaggio di terra per Damasco o Amman. Chiuso a intermittenza il valico di Maasna, quello più diretto. Molti optano per la strada più lunga: a nord fino a Tripoli e poi giù, passando per Homs. I racconti sembrano testi di

Battiato: valli sciite e autisti sunniti (o viceversa), passaggi a piedi, taxi in attesa e la sensazione che i siriani non siano proprio nello spirito Schengen.

Che faccio? Al momento sono nelle mani di tale capitano Ghassan, da cui ho avuto un numero di cellulare, il nome di una nave e vaghe promesse. *Leaving Beirut never easy.* Proporrò agli italiani residenti un coro con questo titolo, da cantare il 2 giugno, Festa della Repubblica. Ho già in mente le parti e i cantanti.

80ª Pizza Beirut, 9 maggio 2008

VIVA GLI ITALIANS DI KABUL

Parleremo di alpini educati, di ristoranti nel cemento armato, di negozi vuoti e ospedali vivaci, di pizze memorabili, di ravioli non male, di voli bassi sul verde e sul grigio, di muri di fango contro il vento e gli sguardi, di colonnelli piemontesi nelle *shura* degli anziani, di ubiqui reperti sovietici, del Serena Hotel che non è sereno per niente, di vernice bianca per segnalare i terreni sminati, di infermiere slave, di cielo blu rotondo oltre la botola di un blindato, di odori asiatici e aria di montagna, di cappelli rotondi e occhi verdi, di cooperatori soli e testardi, di diffidenza afghana e distanza romana. Parleremo del rischio che qui, presto o tardi, ci considerino invasori – com'è accaduto in Iraq – e preferiscano le teste calde locali alle mani tese occidentali.

Prima, però, vorrei spiegare come sono finito da queste parti. Mi ha scritto, da Kabul, il professor M., e mi ha proposto di venire in Afghanistan per una Pizza Italians coi connazionali, in occasione della Festa della Repubblica. Voi capite che un invito così bello e illogico non si poteva rifiutare. Quindi: volo Emirates fino a Dubai, cambio d'aeroporto nella notte tiepida, volo Kam Air all'alba per Kabul. Poi, giornate piene e stupefatte. Ho visto posti strambi, nel mondo: ma questo li batte tutti.

Per esempio, non sono molte le città dove l'ambasciata italiana spedisce per email queste raccomandazioni.

S'invitano i connazionali a seguire le seguenti misure di sicurezza:
1. *effettuare tutti gli spostamenti in macchina, evitare tragitti a piedi se non necessari;*
2. *tenere portiere e finestrini ben chiusi durante gli spostamenti;*
3. *essere in grado di riconoscere con precisione l'area in cui ci si muove;*
4. *prestare particolare attenzione a veicoli con vetri oscurati e senza targa;*
5. *prestare particolare attenzione al momento dell'arrivo presso i luoghi di lavoro o le abitazioni, perché facilmente sorvegliabili da parte di elementi ostili, anche in relazione a comportamenti/orari abitudinari;*
6. *assicurarsi, prima d'iniziare il movimento, di essere in grado di comunicare (batterie di telefonini e radio cariche, disponibilità di traffico telefonico);*
7. *evitare gli spostamenti non indispensabili durante le ore notturne; se proprio necessari, effettuarli con almeno due macchine;*
8. *evitare le folle e gli assembramenti di persone;*
9. *mantenere, in generale, un atteggiamento di basso profilo.*

Provo a tradurre. Il rischio è triplice:

— attentatori suicidi in cerca di obiettivi (il 14 gennaio si sono fatti esplodere nel Kabul Serena Hotel, l'albergo dei giornalisti e delle delegazioni: sei morti e sei feriti);

– bande pronte a rapire gli occidentali, per poi rivenderli ai talebani (il pericolo è maggiore al sud, dove è stato sequestrato Daniele Mastrogiacomo);

– ordigni esplosivi improvvisati e telecomandati, che sono già costati la vita ai nostri soldati (sono dodici quelli caduti in Afghanistan).

Come siamo arrivati a questo punto? Cosa succede? Succede questo: i talebani vogliono tornare al potere. Sono stati cacciati nel 2001, dopo anni di regime maniacale in cui l'alleato Al Qaeda ha potuto usare l'Afghanistan come centro d'addestramento e rampa di lancio, arrivando a colpire l'America. Fino al 2006 sembrava che l'intervento Nato/Isaf (International Security Assistance Force) a sostegno del governo afghano fosse bene accolto dalla popolazione, anche perché unito a grandi spese e a grandi sforzi. Il quarto Paese più povero al mondo – e si vede – è stato diviso in Prt (Provincial Reconstruction Teams). Noi italiani, per esempio, ci occupiamo di Herat, a ovest; e siamo presenti anche nell'area della capitale.

Due anni fa, le cose si sono complicate. Ci sono stati incidenti che hanno coinvolto civili; è aumentato l'andirivieni dal Pakistan di armi e malintenzionati; la società tribale ha mantenuto i sospetti verso la modernità. I pashtun, l'etnia maggioritaria in Afghanistan, non amano, da sempre, gli stranieri in casa. Per questo, coi soldi americani, combatterono i sovietici (1979-1989). Seguirono l'interregno (1989-1992) del fantoccio Najibullah, finito impiccato a un lampione; i massacri tra mujaheddin (1992-1996); cinque anni di buio talebano (1996-2001); e infine l'intervento occidentale, sotto le bandiere Nato (2001-2008).

Fin qui la storia: e non potevamo esimerci. Ma i viaggi servono per mettere facce di fianco ai nomi, immagini sopra le date, fatti davanti alle polemiche. Avete in mente la discussione sulle regole d'ingaggio? Si tratta di questo, sostanzialmente. Per intervenire in zone diverse da quelle assegnate – al sud, per esempio, controllato (si fa per dire) da americani, inglesi e canadesi – i nostri militari hanno bisogno di un preavviso di 72 ore, il che rende la cosa impraticabile. Tendono anche a non prendere prigionieri, non potendoli consegnare alle autorità afghane, quand'è prevista la pena di morte. Ma se qualcuno «manifesta chiare intenzioni ostili», i soldati italiani possono reagire: non devono aspettare che gli sparino addosso.

Questo dettaglio mi interessa, mentre sorvoliamo la periferia di Kabul a bordo di un elicottero AB 212 Eco coi portelloni aperti, e due mitragliatrici puntate verso il terreno che corre. I campi si alzano verso le montagne; le case, viste in pianta, rivelano quello che i muri di fango vogliono nascondere: donne che lavorano, bambini che giocano, sole sui panni stesi. Il comandante del gruppo – tre elicotteri, sessantacinque persone – è un giovane tenente colonnello dell'aeronautica, Pierandrea Andriulli, che ha un sorriso da attore, un ufficio in un container e la foto della moglie sulla scrivania. Intorno a lui tutti sembrano sapere come muoversi. C'è una metodicità nei militari al lavoro che rassicura; pensare a quello che si deve fare, probabilmente, aiuta a dimenticare quello che potrebbe succedere.

Veniamo dalla valle di Musahi, dove siamo arrivati al mattino via terra, passando tra le montagne a sud-est di Kabul, dove si intravedono le postazioni sovietiche degli anni Ottanta – muri in rovina, buchi rotondi per terra, dall'aspetto vagamente alieno. Nei campi, chiazze bianche di vernice: lì le mine non dovrebbero esserci più. Viaggiamo su un Vtlm (Veicolo tattico leggero multiruolo), costruito dalla Iveco e ricercato da molti eserciti, perché resiste alle mine. Due anni fa il tenente Manuel Fiorito e il maresciallo Luca Polsinelli viaggiavano su questa strada, ma su un mezzo diverso: e purtroppo non ci sono più.

Partiamo alle 7.00. Brutto orario, lo chiamano «l'ora delle bombe»: i kamikaze passano una notte insonne e devono agire subito, prima che cedano i nervi. Usciamo da Kabul, che guarda indifferente il passaggio di blindati, ormai parte del paesaggio da trent'anni. Cambiano i colori, le bandiere e le intenzioni, ma c'è una stanchezza rassegnata, in certi sguardi, che non promette soluzioni vicine. Musahi è una valle strategica che controlla un accesso a Kabul. È paludosa, insolitamente verde. S'era pensato di bonificarla, ma gli abitanti si sono opposti. Qua e là si vedono le tende dei nomadi kuchi, che spesso vengono utilizzati dai talebani per portare armi dalle zone tribali del Pakistan, oltre il confine colabrodo. La polizia afghana compie educate ispezioni, e non sempre viene bene accolta.

La nostra base avanzata si chiama «Sterzing»: battezzata dagli alpini di Vipiteno che l'hanno costruita. Un cartello presenta gli attuali padroni di casa, la XXII Compagnia «Impavida», una di quelle che non tornarono dalla Russia: con il suo sacrificio consentì la ritirata dell'Armir. La base sta di fianco alla scuola, uno dei «progetti infrastrutturali» affidati al colonnello Michele Risi del II Reggimento Alpini, comandante del contingente italiano a Kabul: un milione di euro da spendere, di cui 300.000 raccolti a Cuneo, tra i sostenitori degli alpini. Oggi è giorno di vacanza e mancano gli scolari, ma mi assicurano che sono in molti; alcuni vengono facendosi tre ore di cammino. Ci sono solo alcuni ragazzini che arrivano dai villaggi vicini: sorridono con un pallone in mano, padroni dell'unico universo che conoscono.

Arriviamo mentre stanno fortificando la base contro gli attacchi col mortaio: sollevano grandi contenitori e li riempiono di terra e sassi. Ragazzi di tutte le regioni d'Italia lavorano ascoltando la musica. Giovanni Pezzo – un colonnello degli alpini, calmo e con la barba: sarebbe piaciuto a Mario Rigoni Stern – ricorda come anche i sovietici, ai tempi, si dessero da fare con la popolazione: non servì. Noi siamo più ricchi, più liberi e più generosi: ma dobbiamo fare bene e fare in fretta, in un Paese che fretta non ne ha mai. Il comandante Risi deve partecipare alle riunioni degli anziani, incontrare i capi della polizia, cercare di capire come le regole consuetudinarie del *pashtunwali* si concilino con le necessità di un esercito moderno. Alto, magro, ragionevole, un po' dandy: me lo vedo, tra barbe e turbanti.

La base avanzata è una piccola Fortezza Bastiani: solo che qui i tartari arrivano davvero. Dal dicembre 2007, ventisette attacchi, di cui quattro gravi. Per lo più, colpi isolati: sparano e scappano, e fortunatamente hanno poca mira. Si conoscono i villaggi da cui provengono i talebani; si cerca di convincere gli abitanti a isolarli. Anche i cooperatori civili – che non possono operare senza copertura militare, ma coi militari non vogliono confondersi – sono molto attivi. In qualche zona – nel distretto di Surobi, verso Jalalabad, la zona dove è stata uccisa la nostra Maria Grazia Cutuli – s'è tentato di scambiare farina contro oppio e armi. L'iniziativa non è piaciuta agli inglesi, che però non hanno proposto molto altro.

Capisco che possa sembrare retorico, ma mi è capitato di pensare che, se gli italiani fossero tutti così, in Italia avremmo qualche problema in meno. Ne ho visti in Kosovo, in Libano, in Palestina. In queste giornate afghane ne ho incontrati tanti, in divisa e non: l'ufficiale dei carabinieri che ha comandato una compagnia a Enna, e trova analogie tra i meccanismi mafiosi e quelli tribali; i carabinieri-paracadutisti del Tuscania, che mi accompagnano pazientemente dentro la Toyota color argento, slalomeggiando tra i blocchi di cemento, ormai parte del paesaggio di Kabul; le ragazze che lavorano in ambasciata, e accettano sorridendo la loro vita blindata; il professor M. che studia, impara e cerca di capire; i responsabili della cooperazione sanitaria, perplessi davanti ai dirigismi romani; il giovane anestesista di Emergency, soddisfatto delle apparecchiature che ha trovato nell'ospedale pieno di fiori. Entro in pediatria, vedo i disegni di Vauro sui muri e le giovani mamme si coprono coi lenzuoli.

Se pensiamo che tutti costoro non servano, ci sbagliamo di grosso: c'è un fatalismo afghano che le armi, da sole, non sconfiggeranno mai. Una sera è arrivato il ministro degli Esteri polacco, che ha raccolto gli ambasciatori della Nato, e mi ha chiesto di unirmi al gruppo. Si chiama Radek Sikorski: ci siamo conosciuti vent'anni fa a Varsavia, ha sposato la mia migliore amica americana, abbiamo trascorso le vacanze insieme. Radek ha combattuto coi mujaheddin, da ragazzo: era l'unico modo, diceva, di sparare ai sovietici. Dentro il ristorante Gandamack Lodge – un bunker deserto, dove le scorte armate sono cinque volte più numerose dei camerieri – parliamo dei carabinieri italiani, capaci di fare di tutto: dirigere il traffico, rispondere al fuoco e – perché no? – cucinare una pizza a Kabul.

È stata, come dicevo, l'esca del professor M. per attirarmi fin qui: e ho abboccato volentieri. A dire il vero, ancora non mi capacito: i soldati in missione chiedono e ottengono visite di giovani attrici, non di scrittori cinquantenni; e anche i pochi civili italiani in Afghanistan – diciamolo – meritavano di meglio. Ma l'invito dell'ambasciatore Sequi c'è stato, e io sono arrivato, per l'81ª Pizza Italians. L'abbiamo divisa: una «pizza civile» in ambasciata, in un forno a legna costruito per l'occasione; e una «pizza militare» a Camp Invicta, la nostra base sulla strada per Jalalabad. Negli ultimi trent'anni ha visto passare di tutto: reclute russe, bande di mujaheddin, milizie talebane, ora soldati Nato. Uno scrittore di Crema, probabilmente, mancava.

Bene: è andata, e ringrazio tutti. Succede d'essere orgogliosi di essere italiani: così, senza riserve. È una sensazione insolita, ma non spiacevole.

81ª Pizza Kabul, 3 giugno 2008

L'UOMO CHE DORME SULLA GIADA
E ALTRE STORIE OLIMPICHE

La faccia che mi guarda dallo specchio, poco prima dell'atterraggio del volo LH 720 da Francoforte a Pechino, non è la stessa che sorrideva arrivando a Seul nel 1988. Stesso continente, uguale occasione; ma ho vent'anni e alcune perplessità in più. I Giochi servirono alla Corea del Sud per cambiar passo; vedremo se aiuteranno la Cina a farsi capire nel mondo. Per ora, non è andata benissimo.

Diversa anche la luce: l'Estremo Oriente non accoglie, dopo la notte breve, col solito sole sfacciato. Pechino, alle nove del mattino, è già dentro una cappa biancoumida. Il traffico sembra muoversi sotto il vetro di un flipper. Si sono arrabbiati, gli organizzatori, che distinguono puntigliosamente tra *pollution* (inquinamento) e *haze* (foschia). Sarà. Di sicuro la sede della XXIX Olimpiade, in un mattino d'agosto, ricorda certi pomeriggi padani, quando uno sogna il cielo e il mare, entrambi invisibili.

Nemmeno le uniformi blu dei volontari e i colori clamorosi delle delegazioni riescono a forare l'aria opaca. Correndo sulle circonvallazioni – la «corsia preferenziale olimpica», che per ora funziona – si notano gli sforzi dei preparativi. *One World, One Dream* (Un mondo, un sogno) si legge: ma il motto, un po' maoista, si spegne nel bianco. Gli alberghi a sette stelle, l'inquietante Sardonic Hotel vicino al Main Press Center (Mpc), i ristoranti ingenui che promettono «il sapore dei villaggi»: tutto appare sfocato. Il «cielo azzurro purissimo» che aveva affascinato Moravia negli anni Sessanta è lassù, nascosto.

Gli alberghi migliori sono stati requisiti dal Cio (Comitato Olimpico Internazionale), sorridente mammut. Ai giornalisti restano gli altri hotel, profumati di passato prossimo. Noi del «Corriere» siamo al Poly Plaza Hotel. Nel teatro a pianterreno si esibiscono gli acrobati da circo (colleghi, in un certo senso). In camera le biro servono da tagliacarte, e sull'asciugacapelli sta scritto NOT FOR FREE, non gratis. In compenso, c'è una doccia magnifica. Una doccia immensa, torrenziale, affacciata sulla rotonda di Dongzhimen Nandajie. Una doccia con vista, una doccia da meditazione. E ci sarà da meditare, nei prossimi giorni.

Journey of Harmony, viaggio d'armonia, promette la navetta tra i terminal dell'aeroporto. Be', speriamo. Perché un'Olimpiade è anche una festa mobile. Ma è difficile festeggiare, in questa città di caldo liquido e aria condizionata feroce. Solo a «Casa Italia» fa caldo come all'esterno. Non per questo rinuncia alla cravatta l'escatologico Giovanni Petrucci, numero 1 del Coni («Siamo tutti pro-tempore»). Raffaele Pagnozzi, segretario generale, spiega perché ha rinunciato ad assicurarsi presso i Lloyd's contro il rischio di troppe medaglie e troppi premi (realismo, risparmio o scaramanzia?).

Uscendo, alle 18.15, un gettone arancio appare nel cielo, vicino alla punta di un vecchio missile, fallica sentinella degli italiani a Pechino. I cinesi, ottimisti, lo chiamano sole.

***

Sono arrivato qui per la prima volta nell'estate 1986, in viaggio di nozze (con la ferrovia Transiberiana, da Mosca). Poi due volte nel 1989 (l'anno di Tiananmen), nel 1992 e nel 2005, dopo le Pizze Italians di Hong Kong e Shanghai. Mai mi ero illuso di capire la città; ma questa volta è proprio difficile. Di certo i Giochi Olimpici complicano l'esame; ma altre cose mi lasciano spiazzato. Ecco dieci domande che, per ora, non trovano risposta.

1. Se la Cina è il paradiso del gadget, perché non si vedono in giro souvenir? Ce n'erano un'infinità a Seul 1988, Atlanta 1996, Atene 2004. Se ne trovano di più nei pressi di un santuario italiano. Forse i cinesi ci preparano una sorpresa: alla fine dei Giochi un'armata di pupazzetti olimpici scenderà dal cielo, e ci sommergerà. Dopo l'esercito di terracotta, i paracadutisti di peluche.

2. Perché hanno spostato le vie che conoscevo? L'asse nord-sud della capitale – l'«asse politico», che collega gli stadi olimpici, la Città Proibita e Tiananmen – conduce alla porta di Qianmen. La strada che prosegue è stata rimossa, ed è comparsa una scenografia per turisti. Chissà come sono contenti gli (ex) abitanti.

3. Perché in una città dal traffico caotico nessuno usa il motorino? Spiegazioni ottenute finora: a) Se sei ricco, non è chic. b) Se sei povero, costa troppo (e non puoi portarlo in spalla al 15° piano, come la bicicletta). c) Se sei straniero, rischi la vita (e purtroppo un giovane italiano l'ha persa, giorni fa).

4. Non ci sono più «nove milioni di biciclette a Pechino»: Katie Melua ha torto, questa è una cosa che non si può negare. Si vedono in giro, invece, molte bici elettriche. È il governo che intende mostrarsi amico dell'ambiente, o c'è dell'altro? E soprattutto:

perché nessuno carica più su una bicicletta due bambini, quattro sedie e le provviste per una settimana? Dove sono finiti i grandi acrobati che in passato hanno riscosso la mia ammirazione?

5. Ma quante ore lavorano i cinesi? Un ristorante dell'albergo è aperto ventiquattr'ore su ventiquattro, e molti servizi in città hanno il medesimo orario. Gli stessi volontari in divisa bianco-azzurra ci accolgono il mattino e ci salutano la notte. Un collega mi ha raccontato che alle tre del mattino, in un salone massaggi, la ragazza gli si è addormentata sul piede.

6. Se è vero che a Pechino, per rispetto agli stranieri, hanno rinunciato a servire cibo inquietante, come si spiega il ristorante Guoli Zhuang? Nei pressi del ponte Dongsi Shitiao, viene indicato come «*Beijing's specialty penis restaurant*». Avete capito bene: dal 2006 serve, con orgoglio, peni e testicoli di ogni sorta di animale. C'è anche il sushi (*raw penis*). Voi capite che la cosa pone problemi, non solo ai colleghi vegetariani.

7. Perché girano più agenti in borghese che giornalisti accreditati (ed è tutto dire)? Riconoscerli è facile: stanno fermi agli angoli e rigirano tra le mani le chiavi dell'auto. Se gli sorridi, ti salutano. In fondo, sembrano dire, sono qui anche per te.

8. Perché i locali di San Li Tun e Chaoyang Park sono pieni di italiani che, quando s'incontrano, fingono sorpresa?

9. Perché Hu Jintao, presidente della Repubblica Popolare Cinese, non ha telefonato a Vladimir Putin

per dirgli che non è elegante stare nella tribuna d'onore per la inaugurazione delle Olimpiadi (*One World, One Dream*) e contemporaneamente scatenare una guerricciola nel Caucaso?

10. Perché Michael Phelps non perde mai?

***

Anche quando sei stanco, anche quando ti sembra di correre per niente, anche quando piove dal cielo bianco e sei costretto a indossare l'impermeabile lilla monouso: comunque, un'Olimpiade resta speciale. È come stare dentro un videogioco per due settimane. Se non vai fuori di testa, ti diverti. In ogni momento puoi scegliere dove andare, ma devi sapere che ci saranno conseguenze.

I principali edifici olimpici stanno nei pressi del palazzo dei media (Main Press Center). I giornalisti italiani hanno subito capito che, per raggiungerli, esiste una scorciatoia attraverso il lussuoso Hotel Intercontinental. Passiamo, umidi e sciatti, tra dozzine di inservienti impeccabili che ci inseguono per asciugare le gocce di pioggia. A quel punto possiamo scegliere: il Cubo del nuoto e dei tuffi, il Nido che aspetta l'atletica, lo Zoccolo della ginnastica e la Scatola della scherma.

Ho cominciato dal Cubo. Colleghi dall'aria professionale filano verso l'obiettivo, centrando subito l'ingresso dei media, diverso da quello degli spettatori, degli atleti e della «famiglia olimpica» (parenti, amici e imbucati). Dentro il videogioco ogni tanto s'infila anche George W. Bush, che pare intenzionato a non andarsene. Ieri il suo corteo di limousine nere è passato sibilando, diretto verso la piscina dove Phelps ha ottenuto il primo oro e il primo record. Visti i precedenti bellici, il presidente ormai punta solo sulla vittoria sicura.

Nel videogioco, poi, ho scelto la scherma. Sport fascinoso come certe ragazze: tutti s'innamorano di loro ogni quattro anni, e solo d'estate. Immensa, la Scatola: si gareggia al quarto piano. Fantastico essere lì, e vedere tornare a casa la medaglia d'oro della spada individuale, dopo 48 anni. Luogo di urla e grugniti, pugni al vento e parenti commossi. Luci come nelle sfilate di moda: solo che chi sfila sa fare qualcosa. La signora Tagliariol – nome impeccabile, per la mamma di uno spadaccino – ha raccontato molte cose del figlio Matteo. Per esempio, il sogno infantile di diventare D'Artagnan e il numero di fidanzate (una, piuttosto attenta). Poiché la neo-medaglia d'oro è un mio lettore – o almeno così dice – posso dargli un consiglio? Un gigantesco spadista francese si può sconfiggere. A una mamma di Treviso bisogna arrendersi.

***

Yes, she can! Rubiamo lo slogan a Obama per festeggiare Federica Pellegrini, che qui a Pechino ha vinto la prima medaglia d'oro femminile nella storia del nuoto italiano, mostrando una dote di cui la nazione non è fornitissima: la capacità di non trasformare una sconfitta in una tragedia, e usarla invece come stimolo. Ha perso (male) nei 400 stile libero, lunedì; ha vinto (benissimo) il giorno dopo nei 200 contro americane spaziali, erculee australiane, cinesi bioniche. Brava, signorina P.

Federica dovrà guardarsi da una nuova avversaria, nei prossimi giorni: la retorica trionfalistica, che in Italia cresce sempre rigogliosa. Se potessimo usarla come combustile per le automobili, avremmo risolto il problema energetico. Scrivo senza aver visto trasmissioni televisive o letto i giornali: quindi non ce l'ho – ancora – con nessuno (temo un titolo: *Fede e bellezza*). Ma so che l'entusiasmo genuino, quasi sempre, porta all'euforia artificiale.

Gli abaloni della retorica sono in agguato, e non perdonano. I Giochi Olimpici, da questo punto di vista, pongono un problema in più. È difficile non restare senza fiato, osservando la sottile linea di confine che separa estasi e incubo, disastro e trionfo sportivo. Dal vivo è tutto più puro e più semplice. Non ci sono telecronache, commenti in diretta, interruzioni pubblicitarie o distrazioni. Una gara è una successione di grida e soffi, applausi distanti e grida liberatorie, brevi rituali che seguono lunghissime attese.

La gara che ha deciso la vita della signorina P. è durata meno di due minuti (per l'esattezza 1:54.82). La bellezza del nuoto e dell'atletica, rispetto ad altri sport, è l'incontrovertibilità del risultato. L'esito di una gara non dipende dalle giurie, la cui imparzialità lascia sempre qualche dubbio (quando ci sono di mezzo i padroni di casa, più d'uno). La semplicità del gesto – andare più veloce degli altri, in acqua o sulla terra – aumenta il fascino, l'emozione e la commozione che segue.

Scrivendo a OlimpItalians – il blog che ho tenuto durante i Giochi – un lettore propone di istituire un nuovo sport, riservato a noi dei media (ai Giochi siamo 30.000, compresi tecnici e fotografi): la «retorica olimpica». Non escludo d'aver già vinto una medaglia, o almeno di essermi piazzato bene. Ma quando vedo le nostre atlete urlare di gioia o di rabbia in italiano, mi commuovo (forse per compensare i cinesi che non capiscono). E quando, dall'alto di uno stadio della ginnastica gremito, osservo le *mignonettes* indigene giocarsi la vita su una trave, mi accorgo di trattenere il fiato.

L'Olimpiade è questa cosa qui: un'esibizione quasi spudorata di emozioni, che vanno tenute sotto controllo. Altrimenti rischiamo di trasformare uno sconfitto in un rifiuto e un vincitore in un semidio. Lasciamo al cinema e alla politica questo metodo. Guardando lo sport impariamo ad allenare il cuore, usare la testa e tenere a freno la lingua. Perché gli abaloni della retorica sono sempre in giro, e non perdonano. Potrebbero far male anche a Federica che, vi assicuro, è una ragazza robusta.

***

In un'Olimpiade non ci sono solo le stelle delle piste, delle pedane e delle piscine. Esistono anche personaggi minori, e vanno studiati.

LA VOLONTARIA DEL HEBEI Dimostra quattordici anni ma, come spesso accade in Cina, ne ha dieci di più. Con migliaia di coetanei è arrivata a Pechino per l'Olimpiade. Le hanno dato una maglietta azzurra, un libretto d'istruzioni e un posto dove dormire. È gentilissima, e se uno straniero ha bisogno di un aiuto non si tira mai indietro, anche se non ha idea di cosa fare. Una folla di volontarie del Hebei – la regione attorno a Pechino – e di altre province cinesi si è riunita per affrontare un problema al mio cellulare: è stata un'esperienza socialmente gratificante, ma il problema è rimasto. È stato poi risolto da Massimo Musicò di Travacò Siccomario (Pavia), mandato qui dal «Corriere» ad assistere i giornalisti tecnicamente impediti.

L'ADDETTO INTERDETTO Lavora ai controlli di sicurezza e conosce tre frasi: «*Please this way*» (Per favore, di qui sotto il metal detector), «*Please turn around*» (Per favore, si giri) e «*You can go now*» (Ora può andare). Una domanda qualunque («Chi ha vinto?») lo manda nel pallone. A quel punto, ricomincia («*Please this way*» etc...).

MISS CHINA GIRL Nel ristorante cinese dell'Intercontinental Hotel, contiguo al centro-stampa, e in quello del Poly

Plaza Hotel lavorano alcune cameriere deliziose. Nel primo caso sanno anche cosa fare; nel secondo si limitano a sorridere. Il che può essere esteticamente ammirevole, ma uno vorrebbe anche mangiare. Qualche sera fa Miss China Girl è tornata tre volte, a intervalli regolari, per dirmi che quanto avevo ordinato non c'era. Non volevo farle perdere la faccia (davvero assai carina), e ho digiunato. Da allora, solo club-sandwich al Caffè Veranda.

L'UOMO CHE DORME SULLA GIADA Il ritorno dal centro media (Mpc) al Poly Plaza prende mezz'ora, e avviene spesso in orari inverecondi: due o tre di notte (a causa del fuso orario, al giornale sono ancora le sei-sette di sera). Prima di salire in ascensore lancio un'occhiata verso il banco dei souvenir, e vedo sempre la stessa scena. Un uomo in camicia bianca dorme seduto, la testa riversa all'indietro, appoggiata sullo spigolo del banco degli orecchini di giada. Dev'essere la posizione più scomoda del mondo, ma lui è sempre lì. Se una volta lo becco sveglio, lo intervisto.

***

A un certo punto dell'Olimpiade, noi giornalisti iniziamo a scrivere di noi stessi. È un brutto segno, ma forse si spiega con la qualità del cibo nei luoghi di gara. Per motivi ignoti, non esistono pasti caldi. Uno trascorre sette ore in uno stadio, e deve alimentarsi con biscotti, patatine e banane. In teoria, sarebbero in vendita hot-dog, ma nessuno li ha ancora visti. Per l'ennesima volta, nello stadio d'atletica detto il Nido, molti reporter-passerotti si sono sentiti ripetere la stessa frase: «*Sold out!*», esauriti. Il sospetto è che non siano mai arrivati. Allergia alla sporcizia? Ragioni di sicurezza? Timore per un possibile attacco di salsicce giganti?

Per consolarsi di queste privazioni, ogni redazione inventa qualcosa. Ieri al «Corriere» abbiamo ricevuto Zi Lin Zhang, Miss Mondo in carica. Non l'abbiamo mangiata, anche se un pensierino antropofago qualcuno l'ha fatto. Ci siamo limitati a scattare una fotografia e a parlare dei trascorsi atletici della fanciulla, sempre sorridente ed educata. Apparentemente correva i 110 metri ostacoli, come l'eroe locale Liu Xiang, ritiratosi ieri. Non si ricordano tempi record, ma qualcosa mi dice che le gare della signorina raccogliessero comunque un certo pubblico.

Arrivano tutti, a un'Olimpiade: anche se non li cerchi, ti trovano loro. Sono ritornato dopo tre anni al 798, l'ex fabbrica segreta militare diventata il quartiere delle gallerie d'arte (mi piaceva un ritratto, ma costava 350.000 dollari). A un certo punto, in un locale chiamato La ciabatta, mi hanno chiesto se volevo condividere un pezzo di parmigiano con Pierre Cardin. Ho chiesto all'interessato se fosse una copia (qui sono piuttosto bravi, quando si mettono); ma lui ha assicurato d'essere quello vero, ha detto di venire da Venezia e ha suggerito di chiamarlo Pietro Cardìn.

Già che ci sono, una di queste sere, con l'aiuto degli Italians di Pechino, vorrei andare a conoscere anche Mao Tse Tung. Non quello originale (indisponibile), ma i suoi sostenitori, che pare si ritrovino in un ristorante sperduto a cantare canzoni rivoluzionarie, mangiando cibo politicamente corretto, serviti da Guardie Rosse. Vorrei sapere cosa pensano dei Giochi. «*Wei renmin fuwu!*», Al servizio del popolo! Cosa non si fa per raccontare un'Olimpiade ai lettori.

***

Hongse Jindian vuol dire «libretto rosso». Nome impeccabile, per un ritrovo maoista a Pechino. Mentre andiamo verso est, tagliando le circonvallazioni, immagino un ristorante per turisti, segnalato dagli sponsor olimpici, pieno dei soliti delegati carburati a birra Yanjing, con l'immancabile network americano che riprende la scena: il rosso, in tv, funziona. Niente di tutto ciò. Questi fanno sul serio.

Il locale si trova oltre il quinto anello, ai bordi di una città simile a quella che avevo conosciuto vent'anni fa: la metropoli che si sfrangia nei campi, case nel verde impolverato, uomini che fumano in canottiera, bambini in bicicletta, barberie con le luci al neon, piccoli negozi e grandi depositi. Il «Libretto rosso» è nascosto in una strada a fondo chiuso. L'ingresso è attraverso una stella rossa.

Dentro, un avvertimento – niente foto, niente riprese – e dipinti rivoluzionari: la solita ragazza con le trecce davanti alla Porta della Pace Celeste; i ritratti di Marx, Engels, Stalin e Lenin; Mao Tse Tung di fianco a una bandiera. La sala è unica, con una balconata intorno; in fondo un palcoscenico, dove ragazzi e ragazze vestiti da Guardie Rosse intonano *Ge Chang Mao Zhuxi* (Cantiamo il presidente Mao). La gente, euforica, smette di mangiare e canta con loro. Perfino Adele Lobasso, che vive a Pechino e ha avuto l'idea di venire in questo posto, sembra incuriosita. Luisa Prudentino, che studia il cinema cinese, è divertita. «Tutti maoisti?», chiedo a Zhang Na, la collega cinese che ci ha seguito fin qui. «Ma no, erano le canzoni che cantavamo all'asilo.»

Affronto il «cibo collettivo» comparso sul tavolo, e penso a come si diverte la storia: Mao, condannato dalla politica, è stato salvato dall'estetica. Deng Xiaoping negli anni Settanta ha denunciato la follia della Rivoluzione Culturale, e la Cina di oggi è figlia di quella svolta. Ma Deng è un nome, Mao è un marchio. Il ritratto del Grande Timoniere sfida il tempo e i turisti in piazza Tiananmen; cartoline e spille sono dovunque. L'iconografia del maoismo regge la sfida del secolo nuovo. C'è qualcosa d'impeccabile, stasera, nelle piccole cameriere rosse che servono il temibile *hu bing*, pizza tradizionale coperta di germogli di aglio.

Al nostro tavolo è addetta Wang Xiao. Viene dal Hebei, dice d'avere diciassette anni, anche lei ne dimostra meno. Sorride, abbassa gli occhi. Ma ogni tanto si trasforma. Interrompe il servizio e partecipa alla coreografia: sale su una sedia e scandisce slogan rivoluzionari. Nella confusione, riprendiamo qualche scena. Un cameriere se n'accorge e prova ad arrabbiarsi; ma basta far sparire la macchina, e ributtarsi sul «brasato di carne alla Mao».

Un cliente cinese sale sul palco, e chiede di cantare una canzone popolare «per la gloria della nazione impegnata nelle Olimpiadi». Dopo il musical, il karaoke. Vorrei domandare: «Mao l'avrebbe consentito?». Ma non c'è tempo. Le tovaglie rosse si alzano come bandiere, ed è tempo di tornare nella città dei Giochi.

***

Sembra giusto, in mezzo al bailamme, raccontare di tre italiani. Non sono atleti: non hanno vinto niente. Non sono celebri: di loro non si parla in tv. Ma ognuno è riuscito a inventarsi qualcosa: questo, per fortuna, lo sappiamo ancora fare. Due uomini e una donna. Un uomo d'affari, un organizzatore e una fotografa. Nell'ultimo giorno dei Giochi, vogliano accettare le mie medaglie di carta.

Il primo si chiama Paolo Santinelli. Trentenne bergamasco, uno di quelli che non si lascia spaventare da un continente. L'ho conosciuto nel 2005, alla Pizza Italians di Shanghai. L'ho ritrovato qui a Pechino. Mi ha raccontato d'aver piazzato nel Parco Olimpico le sue macchine del caffè: si chiamano «Colibrì» e vengono prodotte in Italia (per ora). La potente e ubiqua Coca-Cola, sponsor ufficiale, ha pagato un sacco di soldi per portare i distributori automatici. Paolo c'è riuscito a costo zero (anzi, gliele hanno pagate bene). Come? Due anni fa ha insegnato a un responsabile dei Giochi, appassionato di cu-

88

cina italiana, come preparare una carbonara senza grumi (mettere l'uovo sbattuto con il parmigiano sulla pasta *dopo* l'olio e la pancetta). Commento: «Il mio metodo non figurerà nei corsi universitari Mba, ma comunque è riuscito a creare un bel *guanxi* (aggancio) italo-cinese».

Il secondo italiano si chiama Federico Rossi. Milanese, classe 1976. È uno dei pochissimi italiani (cinque?) nel Bocog, il comitato organizzatore dei Giochi (5000 persone? Il dato non è pubblico). È uno «zingaro olimpico», questi sono i suoi terzi Giochi. Si occupa, qui a Pechino, del Capital Gymnasium, la sede del torneo di pallavolo. Gestisce volontari, media, logistica. È riuscito a far preparare qualche alimento salato oltre ai soliti biscotti, e ha preso accordi col ristorante di un albergo vicino. A nome di tutti i digiunatori olimpici, grazie per averci provato.

La terza medaglia di carta va a Vanda Biffani, fotografa di Ostia Antica (ci tiene). Avete in mente la foto del lottatore armeno-svedese Abrahamian che getta la medaglia di bronzo, nella categoria vinta dal nostro Minguzzi? Be', l'ha scattata lei. Obiettivi e telecamere si concentravano sul podio, ma VB – da brava italiana – s'è guardata intorno. L'immagine, distribuita dall'Associated Press, è stata ripresa in tutto il mondo. In una bella Olimpiade povera di fatti insoliti, è preziosa. Speriamo che la pensi così anche Abrahamian, e compri un ingrandimento da mettere in salotto.

***

E così, con l'ultima medaglia, se ne va la XXIX Olimpiade. Giornata forte, calda e sentimentale. Nella Palestra dei Lavoratori, guardo Cammarelle demolire un gigantesco cinese, e poi proclamare orgoglioso la propria milanesità. Penso alla fortuna del presidente del Coni, Petrucci: come ad Atene, un oro finale spegne le polemiche (a quest'uomo dovremmo chiedere i numeri del lotto). La sera, come una rete a strascico, la cerimonia di chiusura si porta via tutto: le lacrime delle ginnaste e lo sguardo di Tagliariol, i colossi kirghisi e le bellezze paraguaiane, «Casa Italia» e gli italiani lontani da casa, i biscotti e le banane (basta!), il Poly Plaza Hotel e i due mega-parmigiani volanti (o sono tamburi?) che, mentre scrivo, attraversano il cielo sopra il Nido: il sogno erotico di un consorzio di Reggio Emilia.

Dico le cose che mi sono piaciute di quest'Olimpiade, e quelle che mi sono piaciute meno. Mi è piaciuto aver visto correre, proprio qui, uno spensierato extraterrestre di nome Bolt. Non mi è piaciuto digiunare nei luoghi di gara. Mi è piaciuta la forza con cui Federica P. ha resistito al disfattismo di una nazione fragile di nervi; mi è piaciuta meno la sospetta euforia con cui tutti, dopo la vittoria, si sono accodati alla Madonna Pellegrini. Mi è piaciuto che il doping sia rimasto fuori dalla porta (sperando che non rientri dalla finestra). Non mi è piaciuto Jacques Pilatus Rogge, il presidente del Cio: simpatico come un frigorifero spento.

Non mi sono piaciuti i grandi capi cinesi, che avrebbero potuto aggiungere a un'Olimpiade entusiasmante qualche gesto tollerante. Mi sono piaciuti i militari travestiti da volontari: gli hanno dato un cappellino e una maglietta, e quelli marciavano. Non mi è piaciuta la sensazione d'essere controllati a vista; mi è piaciuto che gli ultimi giorni si fossero stufati di controllarci. Mi è piaciuta Li, la camerierina del Caffè Veranda: non capiva perché arrivassi sempre nell'orario sbagliato. Non mi sono piaciute certe giurie, e il trionfalismo nazionalista della tv cinese (ma è probabile che altri Paesi, Italia compresa, abbiano fatto lo stesso). Mi sono piaciuti i pechinesi che si sono fatti in quattro per aiutarci: e considerato il numero, immaginate quanti ce n'erano in giro. Mi sono piaciuti gli sforzi per adeguarsi alle abitudini del mondo. In venti giorni, solo il passeggero di un taxi (targa B 79163) è sceso a far pipì in mezzo a un incrocio.

Mi sono piaciute le atlete israeliane, che non hanno vinto niente ma erano contente. Non mi è piaciuto David Beckham sul tetto del bus: Londra 2012 dovrà mostrarci di meglio. Mi è piaciuto star seduto tra i cinesi a guardare il ping-pong. Non mi sono piaciute le feste degli sponsor: c'era qualcosa di briatoresco e già visto. Mi sono piaciuti i volontari volonterosi, e il fatto che regalassero impermeabili usa-e-getta. Mi è dispiaciuto aver conosciuto pochi colleghi cinesi. Solo Natalie Tsao, sulla navetta sonnolenta del mattino, aveva voglia di parlare.

Mi è piaciuta la scherma, con la sua atmosfera da piano-bar. Mi è piaciuto meno il calcio, l'Olimpiade non è casa sua. Mi sono piaciuti i campioni poveri di discipline come la maratona (tre africani sul podio), la lotta greco-romana, il pugilato, la canoa. Non mi è piaciuto il divismo del tennista Federer, che non voleva abitare al villaggio olimpico.

Mi sono piaciuti gli ottanta Italians che ho incontrato alla pizzata da Maccheroni a Sanlitun, organizzata da Mario Tasso: mi hanno regalato un timbro rosso, poi hanno elencato le cose buone di quest'Olimpiade (meno traffico, più cordialità, edifici memorabili) e le cose meno buone (poche libertà, pochi biglietti). La moglie cinese di un italiano, uscendo, s'è lamentata perché in tutto l'Olympic Green non c'era un posto dove cambiare i pannolini al figlio.

Quella mamma però, era felice. Aveva conosciuto la XXIX Olimpiade e l'aveva salutata con l'82ª Pizza.

***

Come l'amore, il carcere, la politica e la malattia, le Olimpiadi sono un evento totalizzante (l'aggettivo non è mio, ma di Arianna Ravelli, giovane collega tuttosprint). Per tre settimane si vedono, si scrivono, si pensano, si commentano, si sentono, si annusano e si sognano Giochi. Nient'altro. Alla fine, i ricordi si mescolano in una nebulosa: il medico di Bolt e la mamma della Granbassi, il profilo acquatico di Stephanie Rice e la pettinatura rockabilly di Cassina, l'inno cinese e la medaglia d'oro neozelandese del getto del peso femminile, che ieri mi precedeva sotto il metal-detector del Terminal 3, occupandolo completamente: uno spettacolo onirico e maestoso.

In queste condizioni, è difficile selezionare e ragionare, rientrando in Italia. Pensate che, appena atterrato, ho sentito parlare del collocamento di 7000 esuberi Alitalia alle Poste, alle Entrate e al Catasto: ma certamente si tratta di un'allucinazione dovuta al jet-lag. Meglio concentrarsi su un particolare olimpico, e aggrapparsi a quello.

Cosa mi è rimasto, di Pechino, oltre a qualche maglietta azzurra, il cielo tornato dello stesso colore e un buon peso-forma (-3 kg, il digiuno è una gran dieta)? Un blog (http://blog.corriere.it/olimpitalians) e una fantasia sugli ascensori.

Premessa necessaria: considero l'ascensore un'invenzione importante, uno spettacolo interessante e una splendida metafora: della vita umana (su e giù, giù e su) e della società in cui sono collocati. Chiudetemi in un ascensore, e vi racconterò un Paese (anche in maniera brutale, se non riaprono subito).

Cos'avevano di speciale gli ascensori olimpici cinesi? Erano affollati. Non solo dentro: fuori. In ogni piano e in ogni posto – in albergo, nei luoghi di gara, nel centro-stampa – trovavo sorridenti incaricati. Incaricati a cosa? Non lo so. Questo è il punto.

«Ci spiano!», mi ha sussurrato un collega complottista. È possibile, ma non credo. Penso invece che controllassero il regolare funzionamento del tutto. Dovunque, in ogni ora del giorno e della notte, fuori dall'ascensore c'era un cinese sorridente. Mi è capitato di sbagliare pulsante e finire nel seminterrato: dalla penombra è uscita una figura silenziosa. Non minacciosa. Riconoscente, invece: avevo dato un significato alla sua giornata solitaria al piano B2.

Una presenza onnipresente. Per ogni necessità, bastava guardarsi intorno. Non solo fuori dagli ascensori: dovunque a Pechino. Militari di leva, studenti delle province, universitari, pensionati: per ogni incarico, cinque persone. Dai guardiani del pianerottolo ai bonzi delle scale mobili, dagli angeli degli ingressi alle sentinelle degli incroci, dalle sfingi dei marciapiedi alle fate degli ombrelloni: si parla di un milione di persone. Tantissimo personale, tutto non pagato.

Poi, ieri sera, sono atterrato a Malpensa. Che tenerezza. Qui pagano tutti (per ora), ma non c'è più nessuno. A proposito: qualcuno ha notizie della mia valigia?

82ª Pizza Pechino, 25 agosto 2008

Americhe

LA PIZZA, IL POLITOLOGO E LE CONSEGUENZE

Cari Italians,
breve rapporto sulla Pizza di New York. Tanto per comin-
ciare, sfuggendo al controllo di Beppe, e sfidando la sua disap-
provazione, abbiamo sconvolto l'assetto dei tavoli da Angelo's
Coal Oven Pizzeria (117, West 57th *Street, New York, NY*
10019) al fine di creare un'unica, italica tavolata (col risul-
tato collaterale di ostruire il passaggio dei camerieri e far im-
bestialire il buon Angelo, che se l'è presa con Severgnini).
Bseu, oltre a possedere doti diplomatiche, s'avvale del termine
«roba» per esprimere un numero indefinito di concetti; pare
non essere molto ferrato in quell'essenziale branca della mate-
matica detta «contare in quanti siamo al ristorante»; e pro-
pone a Italians ottenebrati da birra e pizza quesiti di analisi
finanziaria (quale sarà il futuro economico dei quotidiani
online?). Non solo: coinvolge nella pizzata il chiarissimo pro-
fessor Giovanni Sartori, esimio politologo. Infine, per conclu-
dere in bellezza, si lascia trascinare al Fall Ball *della facoltà*
di Legge della New York University. Insomma, grande serata.

97

Unico neo, Bsev è scappato troppo presto e gli studenti suda-
mericani non sono riusciti a coinvolgerlo nel karaoke.

Claudia Agostinis

Ciao a tutti gli Italians,
un semplice messaggio di ringraziamento: a Bsev, che c'era; a
Cristina e Giada, che hanno organizzato il tutto. A New
York ci siamo goduti una simpatica serata di pizza & birra
mescolate a svariati argomenti:

— Internet in Italia: perche c'è paura di questa cosa nuova?
— cambiare il forum «Italians» o lasciarlo com'è?
— la fatidica gavetta, sul lavoro, serve ancora?
— noi Italians dobbiamo rientrare, o rimanere qui?

Basta così altrimenti sembro una professoressa che fa il rias-
sunto. Peccato che, senza foto che lo possano dimostrare, nes-
suno crederà che Beppe è dotato di talento degno di un oste
tedesco: s'aggirava tra i tavoli con vassoi pieni di boccali di
birra, e ne ha rovesciati abbastanza pochi.

Silvia Cavallini

Pubblico due resoconti sulla 2ª Pizza Italians di NY: quello
della spumeggiante Claudia e un altro di Silvia, fanciulla
attenta. Aggiungo un ringraziamento doveroso – a Cristina
Tessicini e Giada Bresaola, che hanno organizzato – e tre
precisazioni.

La prima: il pizzaiolo Angelo (che è greco) se l'è presa, e
aveva ragione. Gli avevo assicurato che gli Italians di
Manhattan erano compassati professionisti, e in cinque
minuti gli avete ribaltato il locale.

La seconda: erano presenti due analisti finanziari di Wall
Street e un matematico. Ho pensato che fossero perfetti

per stabilire quanto pagare a testa. Come potevo prevedere che una semplice divisione provocasse tutto quel caos?

La terza: il professor Giovanni Sartori non è stato coinvolto. Si è coinvolto da solo. Dopo avermi soavemente accusato d'aver scritto sull'«Economist» imprecisioni e/o stupidaggini circa il sistema elettorale italiano, si è lanciato sulla pizza. Era colpito d'essere l'unico dei presenti senza un indirizzo email, e ha detto che occorreva «studiare il *momentum* generato dalla serata»: quanti matrimoni ne sarebbero derivati? Gli ho spiegato che non era quello lo scopo della riunione, ma da bravo studioso ha difeso la sua tesi.

Dunque: pizzata a Londra, pizzata a NY. Manca il resto del mondo. Ci andrò. Gli Italians sono dappertutto, e nel nuovo secolo voglio passarli a trovare.

2ª Pizza New York, 18 novembre 1999

OTTO OTTIME «O»

Bella, Boston. Rassicura gli europei e ricorda agli americani da dove vengono. Beacon Hill è uno dei luoghi dove gli Usa portano in evidenza il marchio di fabbrica, come il quartiere di Georgetown a Washington D.C. o la città di Savannah in Georgia. Il posto è un tranquillante. Un miglio quadrato, diecimila persone, case vecchie, fascinose e scomode, marciapiedi artisticamente sconnessi: per la religione nazionale della praticità comoda, un'eresia.

Sono in città per un convegno dell'International Press Institute (Ipi). Mi ha chiesto di venire Montanelli, cui intendono dare un premio. Ne approfitto per ripetere l'esperienza della Pizza Italians. Organizza lo studente in trasferta Alessandro Bortolussi, all'Antico forno di Salem

Street, North End, dove molti dei convenuti sorridono alla cameriera irlandese-thailandese.

Tanti connazionali, stasera. Studiano o insegnano, fanno i medici o i ricercatori, costruiscono palazzi o lavorano sui computer. Non mi piace classificarli come «italiani che ce l'hanno fatta»: la definizione sottintende un complesso di inferiorità. Di sicuro, sono venuti qui e si sono fatti valere. Hanno trovato occasioni, colleghi, amici, una ragazza o un marito straniero con cui condividere letto, stipendi e diversità. Non devo convincerli che mettere il naso fuori casa sia una buona idea: lo sanno già. Non serve lodarli. Il loro premio è la vita che hanno scelto.

Propongo, quindi, un gioco diverso. Cerchiamo di capire se esiste, e qual è, il comun denominatore di queste storie di successo. Suggerisco di ragionare su queste otto O.

OMBELICO Un medico, un accademico, un cuoco o un imprenditore che non ha mai messo il naso fuori dall'Italia crede, inevitabilmente, che il suo ospedale, la sua università, la sua cucina o il suo ufficio siano l'ombelico del mondo. Uno scoop, signori: non è così!

ORGOGLIO Nel mondo conosciuto si può andar fieri del successo professionale. In Italia, il successo è qualcosa che bisogna farsi perdonare (e non sempre ci si riesce: Bocelli & Baricco sono due esempi celebri; le aziende sono piene di casi meno noti).

ONORE Le belle storie internazionali sono trasparenti: talento, preparazione, lavoro, un'occasione. In Italia conta ancora troppo chi sei e chi conosci. I concorsi universitari sono scandalosi: ma neppure i migliori hanno il fegato d'intervenire. Preferiscono salvare la coscienza (e gli allievi) creando zone virtuose, e collezionare lauree honoris causa.

OPPORTUNITÀ Secondo un sondaggio il 39 per cento degli italiani nella fascia 35-44 anni si definisce «giovane» e non «adulto». Come dire: talvolta le vittime sono consenzienti. In America, in Nordeuropa o in Russia non è così. A trent'anni si è uomini, non ragazzi.

ONESTÀ, ORDINE & ORGANIZZAZIONE Ogni nazione ha una reputazione. La nostra è quella di talentuosi casinisti, di inaffidabili genialoidi. Alcuni connazionali interpretano volentieri questo personaggio, che un certo pubblico internazionale ama (per poi deriderlo). Altri si sono ribellati, e hanno capito che il talento non serve, se non viene abbinato a disciplina e affidabilità.

OSTINAZIONE Non è facile imparare l'inglese, la lingua del mondo (il cinese, ancora meno); e non è semplice chiudere una Samsonite, una mattina all'alba, e lasciarsi l'Italia alle spalle per qualche mese o qualche anno. Ma chi ha trovato quel coraggio, quasi sempre, è stato premiato.

Altro da aggiungere, qui nella notte tiepida di North End, sul finire dell'era Clinton?

4ª Pizza Boston, 1° maggio 2000

LA REPUTAZIONE DEGLI ITALIANI

Metà dei frequentatori del forum «Italians» sono connazionali in giro per il mondo. Qui a Seattle molti stanno in Microsoft, come Roberto Cazzaro, splendidamente polemico. Vado a trovarlo nel quartier generale di Redmond. Sembra un villaggio-vacanze: però si lavora. In ogni corridoio sbuca un connazionale: arruffato, sorridente, curioso di sapere cosa penso di Bill Gates.

Diego Piacentini, proveniente da Apple Europa, è invece in Amazon.com. Chiamato da Jeff Bezos a dirigere le attività internazionali del gruppo, è arrivato da poco, precedendo la famiglia (Monica, Nicolò e Andrea). Lo incontro nella sede centrale, un mastodontico ex ospedale che troneggia su una collina. Scopro che Bezos è in possesso di una risata in grado di arrestare una mandria al galoppo, e vedo che Diego ama l'informalità del luogo. Ha solo qualche perplessità sui cani, ammessi liberamente nei luoghi di lavoro. Uno di loro ha scambiato la postazione del responsabile delle attività internazionali per il bagno.

Roberto e Diego sono fortunati: hanno ottimi incarichi e – immagino – eccellenti retribuzioni. Vivono nella città che tutti gli americani sognano: allungata tra lago e mare, con le montagne sullo sfondo. Potrebbero decidere di ignorare, per qualche tempo, le tempeste italiane, ma non lo fanno. Un argomento li preoccupa, così come preoccupa tutti i connazionali intelligenti sparsi per il mondo: la nostra reputazione. Sull'argomento fioccano le lettere a «Italians». E le recriminazioni si moltiplicano.

Si lamenta Claudia La Neve: «Proprio lei Severgnini, che conosce la vita all'estero, dovrebbe sapere quanto sia noioso e irritante sentirsi chiamare "mafiosi"! Perché dobbiamo essere tolleranti e comprensivi con tutti, tranne che con noi stessi? Perché lasciamo che tutti ci deridano?». Protesta Giuseppe Scalas: «Quello contro gli italiani è l'unico pregiudizio sopravvissuto al *politically correct*, e universalmente tollerato. Secondo me lei sbaglia a minimizzare il fenomeno, e a credere che i nostri detrattori – spesso veri razzisti – possano cambiare idea».

In effetti, per anni, la mia risposta è stata: inutile reagire con rabbia o scegliere l'autarchia psicologica (ci ha provato il fascismo: non funziona). Meglio rispondere con serenità e, soprattutto, col comportamento. Ogni italiano che agisce onestamente e lavora con competenza aiuta il suo Paese. Piagnucolare, mostrarsi offesi e chiudersi in un angolo non serve a niente, se non a incarognire i detrattori. In fondo è la regola che c'insegnavano all'asilo: funzionava allora, funziona oggi.

Tuttavia, lo ammetto: le cose non migliorano. E l'atteggiamento di qualcuno, all'estero, appare odioso. Troppo di frequente le critiche al sistema italiano (legittime e spesso giustificate) si mescolano a brutalità storico-antropologiche sugli italiani (ingiustificate e superficiali).

È vero che la nostra capacità autocritica – un merito, secondo me – offre munizioni ai nostri accusatori. Ma cosa ci possiamo fare? Dobbiamo minimizzare ogni episodio negativo? Dobbiamo proclamare «*Right or wrong, my Country*»? Si può fare, in qualche caso. Ma non quando si discute a tavola con tre amici americani. In questo caso è ridicolo, e controproducente.

È vero: l'Italia è ipnotica (stavo per dire: sexy). Siamo attraenti e riconoscibili. La nostra cultura – dalla musica alla tavola, dalla storia all'architettura – è unica e inconfondibile. Il nostro carattere nazionale è noto in tutto il mondo. L'Italia ha personalità, fin troppa, nel bene e nel male. L'«immaginario mafioso» ha riempito il cinema e la letteratura, il linguaggio e la pubblicità. Spesso sull'argomento si buttano gli stranieri; ma qualche volta noi italiani li precediamo, o li incoraggiamo. Comunque, li perdoniamo. Nessun'altra nazione avrebbe avuto l'onestà di esportare *La Piovra*, o la generosità (leggerezza?) di tollerare i *Sopranos*.

È vero che Silvio Berlusconi funge da catalizzatore. È inutile ripetere cose dette e scritte mille volte. Ma la sua ascesa, le sue televisioni, le sue amicizie, i suoi processi, le sue battute e la sua ossessione estetica ne fanno un caso unico al mondo. Questo non è un giudizio: è un fatto. E la cosa non ci aiuta. Questo non è un fatto: è un giudizio.

È vero, infine, che alcune situazioni italiane sono oggettivamente indifendibili, e l'illegalità di massa è una piaga che non accenna a guarire (ruberie, favoritismi, endemici conflitti d'interesse). Qualcuno dirà: ma certe cose accadono anche altrove! Sì, ma il nostro è un grande Paese civile, fondatore dell'Unione Europea e membro del G8: il mondo s'aspetta molto da noi. Quello che in Georgia è considerato inevitabile, a Genova è giudicato imbarazzante. Ciò che in Pakistan appare normale, a Parma sembra scandaloso. Alcune pratiche comuni in Romania, a Roma sono inaccettabili. E aggiungo: per fortuna.

Tuttavia, è vero: nel mondo, sugli italiani, vengono dette e scritte cose che non potrebbero MAI essere ripetute per altre culture. Prendete l'America: gli ebrei ridono degli ebrei, i neri prendono in giro i neri, i greci si fanno beffe dei greci, i pellerossa non li tocca nessuno. Noi italiani siamo il punching-ball di tutti.

Questo deve finire.

5ª Pizza Seattle, 6 maggio 2000

L'ONDA ANOMALA

Caro Severgnini,
scrivo per ringraziare Luisa Meroni e Paola Meta per gli sforzi che hanno dedicato all'organizzazione della 7ª Pizza a Washington D.C. La lunghissima tavolata di persone venute a conoscerti (e a conoscersi) metteva allegria.
Peccato che i pizzaioli siano stati fedifraghi. Pizza coi broccoli! Ho visto una signora napoletana accorata davanti a una pizza con pollo in salsa agrodolce. La sua squisita edu-

cazione le ha impedito di lamentarsi; e lo stesso, credo,
hanno fatto gli altri.

Eravamo tutti nati in Italia. Emigrati di prima generazione,
dunque, e tra di noi c'erano tutte le età e tutte le professioni,
dalla dottoranda alla dottoressa, dal ricercatore al fisico, dal-
l'ex ambasciatore alla direttrice dell'Istituto Italiano di Cul-
tura, Annamaria Lelli.

Hai detto che ogni tanto ti vien voglia di tornare a vivere all'e-
stero. Sarebbe un gran peccato, perché tu sei utile là. Il tuo posto
è in Italia, a interpretare questo nuovo «fenomeno Italians», a
capire i come e i perché di questa anomala ondata d'emigra-
zione che ha avuto luogo negli ultimi due decenni del XX secolo.
Anomala perché non era mai successo che l'Italia esportasse solo
dottori e importasse solo braccianti. Per tacere degli italiani che
sono rimasti a casa e però sono pronti a partire, o di quelli che
sono tornati e però sono pronti a ripartire. Sono convinto che il
nostro forum online stia facendo fare passi da gigante nella
comprensione del problema. E questo, forse proprio grazie al-
l'informalità di «Italians» e degli Italians. Alla pizza, s'è notata.

Riccardo Pozzo

D'accordo su tutto, Riccardo, non sulla pizza: era eccellente (e poi quella coi broccoli ci voleva, dopo l'ananas e i
cetrioli di Mosca). Prima di arrivare alla questione che sol-
levi – l'onda anomala della nuova emigrazione professionale – due parole sulla nostra serata.

È stato bello conoscervi. Washington D.C. è per me un
luogo speciale (ci ho abitato, a metà degli anni Novanta, e ho
scritto un libro che mi è molto caro). Mi è piaciuto capire co-
s'è oggi questa città per voi; e vedere come vi siete trovati
bene, incontrando italiani sconosciuti (a un certo punto, se
fossi uscito, non ve ne sareste accorti: è giusto così).

Ho cercato di parlare con tutti, e spero che nessuno se ne
sia andato deluso. Elisa e le truppe corazzate della Banca

Mondiale, la banda biologica del National Institute of Health e i veneti dei telefoni satellitari, l'architetta e il mago del software medico (con papà e mamma), Piero e Andrea venuti giù da New York e gli ingegneri saliti da Richmond, i fisici e il veterano della pizza di Bruxelles, mogli, fidanzate e amiche americane, brasiliane, etiopi, cilene con gli occhi azzurri (Italians anche loro). Grazie, davvero. Peccato che alle 23.00 ci abbiano espulso (l'America!), e abbiamo chiuso la serata su Connecticut Avenue, stile *homeless*.

Basta sentimentalismi. Veniamo alla nuova emigrazione. Sì, Riccardo, è come dici. Non è il caso di esagerare l'importanza di «Italians», ma è vero che abbiamo riempito un vuoto. Un luogo così non c'era – e senza Internet e il «Corriere» non ci sarebbe stato. I nuovi emigranti professionali costituiscono un fenomeno recente. Prima c'erano individui che andavano all'estero; adesso è una piccola, costante migrazione.

Ho l'impressione che molti di voi «caschino tra due sgabelli», come si dice in inglese. Non fate parte del giro diplomatico/istituzionale, e non siete emigranti classici, foderati di nostalgia. Anche per questo le rappresentanze italiane all'estero si trovano un po' spiazzate, e non sanno bene cosa fare di voi. Ma lo scopriranno presto. Anzi, la generazione «Italians» costituirà un banco di prova per diplomatici, Istituti di Cultura, rappresentanze commerciali. Quelli svegli sapranno farsela amica. Gli altri, be': peggio per loro.

7ª Pizza Washington D.C., 28 agosto 2000

LA PIZZA DEI QUATTRO PRESIDENTI

Questa è una storia di pizze e presidenti. Per essere precisi, della 10ª pizza e del 43° presidente. Periodo: dopo la votazione, ma prima dell'elezione di George W. Bush (o Al Gore). Luogo: San Francisco, Levi's Plaza, ristorante Il Fornaio, veranda riscaldata, fontane rumorose, cameriere felice (Carmine). Da giorni – da quando in Florida si litiga sulle schede – insegue i colleghi americani sussurrando: «Ragazzi, non è ora di imparare a contare?».

Ci sono cento italiani. Sono i lettori del «Corriere» che seguono «Italians», e si trovano nella posizione ideale per commentare la magnifica confusione elettorale; e dire cosa dobbiamo aspettarci dal presidente che verrà. Gli organizzatori dell'incontro sono Tiziana Figliolia, milanese con occhi siciliani, direttore finanziario di ebenefits.com, un portale di ricerca di personale. E Giovanni Segni, master di Studi asiatici a Stanford (parla cinese perfettamente. Il nonno al Quirinale, scomparso quando lui nasceva, sarebbe impressionato).

Per cominciare: tra i presenti, otto su dieci sono per il democratico Al Gore. Ma ci sono anche gli agnostici, i disgustati, una decina di repubblicani e tre sostenitori del verde Ralph Nader. Esiste un'unanimità divertita, invece, nel commentare la confusione dopo il voto. Luca Prasso lavora a Palo Alto per la Dreamworks di Spielberg (l'ha chiamato «Steven», non neghi!), insieme a Raffaella Filipponi, una milanese che col computer ha fatto muovere la regina in *Z la formica*. Dice Prasso: «Stamattina, ero bloccato nel traffico della valle (Silicon Valley) e pensavo: ironia della sorte. Gore, che ha lanciato Internet, non si fida dei computer e chiede di contare i voti a mano. A parte questo, i due devono capire che hanno giocato abbastanza, la credibilità del sistema è ai minimi. Il prossimo americano che mi rinfaccia ancora la storia di Cicciolina, lo mando a quel paese...». Aggiunge Fabrizio Capobianco, anche lui reduce dall'ingorgo quotidiano sull'autostrada 280: «Questo è il Paese in cui, se prendi un vestito che non ti piace, il giorno dopo lo puoi riportare. Se voto e sbaglio, perché non posso farlo di nuovo?».

Tiziana – l'organizzatrice-cassiera (a Los Angeles il compito è toccato a uno scienziato della Nasa) – sostiene che «il problema non è più chi sia il candidato migliore, ma se la nazione considera legittimo il vincitore». Andrea Boggio della Law School Stanford, qui con la moglie Linda: «Le elezioni del 2000 non sfuggono alla regola: negli Stati Uniti, ogni evento storico finisce col diventare una battaglia legale». Aggiunge Maurizio Franzini, prossimo PhD in Chimica a Stanford: «Il turno unico è un'idiozia. E i "grandi elettori" sono anacronistici. Ma qui non mettono in discussione la Costituzione, così come non mettono in discussione la pena di morte...». Racconta Fabrizio Castellucci, futuro PhD alla Stanford Business School: «Molti conoscenti americani, nei corridoi, evitano di incrociare gli sguardi. Non capiscono come un meccanismo che risale ai Padri Fondatori possa non funzionare. Sarà sadismo o desiderio di rivalsa, ma trovo la cosa divertente».

Veniamo ai due presidenti possibili. Bush ha molti detrattori. Gore ha più sostenitori, ma pochi fan. Alfonso Veggetti, analista finanziario (si definisce «un trentaduenne con la passione per le bionde californiane», ma non ne ha portate): «Preferisco Al "Bore" (noia) a Mister "Texecutioner" (Texan + Executioner). Perché? Perché se vince Bush, sarà il trionfo della restaurazione viennese in versione capitalista-americana». Drastico e polemico Davide Cis, che lavora per Barra Inc. (produce software per investitori istituzionali): «Se vince Bush, me ne torno in Italia. Se vince Gore, rimango».

Cinzia Spencer-Cervato insegna Geologia a Oslo (scrisse a «Italians» che temeva le congelassero la figlia, quando la mettevano sul balcone dell'asilo norvegese). È in California per l'incontro della Geological Society of America: «Spero vinca Gore. Ho vissuto quattro anni nel Maine. So di miei ex studenti che sopravvivono con 6000 dollari l'anno, non possono permettersi il dottore e accendono ceri a Sant'Antonio per non ammalarsi. Gore almeno propone assicurazioni sanitarie a prezzi ragionevoli e assistenza gratuita ai bambini. Poi vuole rinforzare la scuola pubblica. E sa il cielo se ce n'è bisogno». Per Gore, se ho capito bene, sono anche Gianluigi Zorio, enologo per la E&J Gallo di Modesto; Guido D'Amico di Oracle; Fabio Fontana di Hewlett-Packard; e il battaglione di Cisco (stasera impegnato con le fotografie di gruppo). Ma ci sono tre voti per il verde Nader, tra cui Paolo Gardinali (studente di Sociologia a Berkeley) e Anna Missiaia, liceale triestina in prestito alla Alameda High School. Il suo indirizzo email dice «*enfant terrible*». Sostiene che la scuola, da queste parti, è una noia: troppo facile.

Molti, più che per Gore, tifano contro Bush. Laura Giannatempo lavora nell'ufficio-stampa di SF Jazz: «Semplice: se vince quello, siamo rovinati». Filippo Ginanni è qui per un PhD in Economia a Stanford (e protesta perché gli hanno dato una multa per non aver rispettato uno stop in bicicletta, di notte): «Bush ha preso "C minus" a Yale! Non dico altro». Marco Piazza, analista delle telecomunicazioni: «Col Bush ci berrei una birra, ha la cadenza dei vecchi che si incontrano ai bar e hanno sempre una storia da raccontarti. Che poi la storia sia vera o no poco importa...». Giovanni, l'organizzatore: «Bush non c'è. Attenzione, non sto parlando di carenza intellettiva, ma di pigrizia mentale, di mancanza di curiosità e di capacità creativa e analitica. Il Bushino si è costruito una reputazione di uomo di successo senza aver mai concluso nulla di concreto in vita sua e dimostrando grandissima abilità nell'utilizzare il suo cognome e i contatti di famiglia».

Aggiunge Roberto Colecchia, ingegnere elettronico nella Silicon Valley: «Se vince Bush si farà un passo indietro nelle politiche sociali e ambientali. Ma qui la cosa sembra non interessare. Infatti nessuno dei miei colleghi è andato a votare, mentre tutti sono perennemente incollati allo schermo per controllare l'andamento delle stock options». È d'accordo Paolo Giaccone, ricercatore presso l'Electrical Engineering Dept. di Stanford: «Mi colpisce la leggerezza con cui nella Silicon Valley seguono le elezioni del presidente. Forse la gente lavora troppo, e non trova il tempo per riflettere sull'importanza della scelta».

Ci sono anche i repubblicani, dicevamo. Pochi, ma ci sono. Roberto Tomasi è negli Usa da otto anni, lavora alla Compaq: «Meglio Bush, dopo la sofferenza con Bill Clinton. Vuol dire meno tasse, meno intervento statale, più libertà di inseguire il sogno americano. Gore significa invece statalismo, imposte e spese inutili per allargare l'assistenza statale (non funzionante)». È d'accordo la signora M., abito blu e pettinatura battagliera, che chiede di non essere citata: «Bush, assolutamente. Li conosco bene, qui a San Francisco, i democratici ipocriti, che pensano solo ai soldi, ma vogliono mettersi a posto la coscienza con le loro ridicole cene di beneficenza. Anche i repubblicani pensano solo ai soldi. Ma almeno lo dicono».

Finisce la pizza, termina la serata, trionfano gli scettici. Marco Sgroi, prossimo PhD in Electrical Engineering a Berkeley: «Non riesco a credere che l'America non sappia trovare candidati migliori. E poi sono sempre gli stessi nomi! La prossima volta sarà magari George Bush contro Hillary Clinton. E poi? Il fratello di Bush contro la moglie di Gore?». Chiude Marco Venturini, fisico allo Slac (Stanford Linear Accelerator Center): «Presidente? Quale presidente? Circola voce che verrà mandata una delegazione a Londra a porgere le scuse per la Guerra di Indipendenza. Chiederannno alla regina di riprendersi la Corona».

9ª Pizza Los Angeles, 7 novembre 2000
10ª Pizza San Francisco, 10 novembre 2000

Forse i nomadi hanno patria. Non si capisce, altrimenti, perché siano corsi qui a New York da tutta America. Arrivano da Philadelphia e da Boston, dal Texas e dall'Indiana. Mario e Francesco vengono da Chicago. C'è Serena che studia a Stanford, e chiacchiera col vicino di banco. Ci sono Silvia e Nicoletta arrivate da Los Angeles col «*redeye*», il volo della notte che ti regala qualche ora e gli occhi rossi. C'è il gruppo della Columbia University, che è il padrone di casa e organizza il «*panel* con i *guest speakers*» e il «buffet per il *networking*». Che vuol dire: questi ragazzi vogliono conoscersi e hanno tante qualità, ma il difetto di infilare l'inglese dappertutto.

Sono gli studenti italiani Mba negli Stati Uniti, e per la prima volta hanno deciso di trovarsi insieme. Hanno dai ventiquattro ai trentaquattro anni (alcuni vengono dall'università, altri già lavorano), e otto mesi fa – spronati da uno di loro, Massimo Acquaviva – hanno formato l'associazione Nova (www.nova-mba.org). «Mba» vuol dire Master of Business Administration, un corso post-laurea che conduce ai vertici delle aziende. Due anni di studio intenso e costoso, che porta nelle università americane giovani di tutto il mondo.

Il guaio, qual è? Che molti non tornano. Terminati gli studi americani, restano, o vanno altrove (a Londra, spesso). E l'Italia, come e più di altri Paesi, rischia di perdere una fetta della classe dirigente di domani. Qualcuno sostiene: è inevitabile. Questi nuovi nomadi si spostano dove li pagano meglio, e li stimolano di più. Vanno dove li portano le stock options, non il cuore.

Può essere. Ma a vederli qui, intenti ad ascoltare le aziende italiane che giurano di volerli indietro, non sembrano solo apolidi talentuosi. Seguono, discutono, contestano, giudicano i dirigenti (Telecom, Bain Cuneo, Bulgari, Marzotto, MyQube, Italtel, ATKearney) che, in teoria, dovrebbero giudicare loro. Ringraziano il console, stupiscono il direttore dell'Istituto di Cultura, che fa tardi con loro. Annuiscono quando il premio Nobel Modigliani, in videoconferenza da Boston, picchia duro sull'Italia, «dove molti manager, in un giovane collaboratore bravo, vedono solo un concorrente pericoloso». Non dicono di voler tornare subito, né a qualunque condizione. Ma è chiaro che ci pensano. Non sarebbero qui, altrimenti, a parlare di Milano guardando i tetti di Harlem.

L'Italia deve inseguirli e riprenderli? Certo. Il mercato sarà globale, ma il mondo resta fatto di nazioni. La «guerra del talento» esiste; e, in Europa, non ci siamo neppure accorti che è stata dichiarata. Gli Stati Uniti esercitano una enorme forza di attrazione, e stanno gentilmente spogliandoci della classe dirigente: un terzo degli ingegneri della Silicon Valley è straniero e, a chi porta competenza, i visti di lavoro vengono concessi con generosità. Qui a New York (partito da Milano, passato da Amsterdam, diretto a Seattle) è arrivato, per esempio, Diego Piacentini di Amazon.com, di cui abbiamo parlato. È bene che l'America se lo sia preso, gli abbia insegnato a parlare coi numeri e a presentarsi col maglione color salmone. Ma poi ce lo restituisca, per favore.

In Italia, il grado di comprensione politica di questa realtà è imbarazzante. I «nuovi nomadi» vengono visti come una casta aliena, quando sono solo ragazzi che l'America sta formando, e l'Italia potrebbe utilizzare. Un esempio? L'associazione Nova aveva proposto di inserire nella legge finanziaria un credito d'imposta per spese di studio (15.000 euro). Costo per l'erario 5 milioni di euro, facilmente recuperabili: i beneficiari sarebbero tornati, e avrebbero pagato le imposte in Italia. Tutti d'accordo, a parole; poi, proposta bocciata al Senato. Resta il Fondo Studenti Italiani, creato dall'ambasciatore Richard

Gardner a Roma nel 1979. Ma hanno dovuto mettere la sede legale nel Delaware, per semplificare le procedure di finanziamento. E il Fondo serve per mandare studenti italiani in America. Non necessariamente per farli tornare.

E invece loro, i ragazzi, vogliono rientrare. Non tutti, non subito: ma ci pensano. Se la fedeltà aziendale è in declino («Se cerchi lealtà, comprati un cocker», dicono i nuovi nomadi), quella nazionale resiste. Gli italiani, in particolare, sono sorprendenti. Sono critici, ma affettuosi. Sono orgogliosi di poter discutere in inglese, ma felici di farlo in italiano. Sono gli Italians che scrivono ogni giorno al forum, dove l'idea dell'incontro ha preso corpo. Sono giovani uomini e giovani donne che si sentono a casa nel mondo, ma sanno di essere italiani: formati dalle estati in Vespa, dai telegiornali e dai banchi acquamarina, che è il colore dei nostri ricordi.

Chiudendo l'incontro, ho suggerito che il nome dell'associazione Nova, d'ora in poi, voglia dire: Non Occorre Vivere in America. Hanno applaudito. Buon segno.

13ª Pizza Chicago, 15 giugno 2001

INCOMPRENSIONI TRANSATLANTICHE

Mancano tre mesi al primo anniversario dell'11 settembre, ed è il caso di cominciare a preoccuparsi. Non solo per i possibili attentati, ma per le sciocchezze che ci toccherà sentire. Ascolteremo precisazioni irritanti, paragoni offensivi, condanne-instant dell'America (si sciolgono in qualsiasi discorso, qualcuno le berrà). Si può, sia chiaro, ritenere che la risposta in Afghanistan sia stata crudele, inutile, o tutt'e due le cose. Non si può, invece, dubitare che l'attacco contro New York e Washington sia stato ingiustificabile e mostruoso. Anche mostruosamente spettacolare, purtroppo. Sono convinto che, in qualche anfratto della mente europea, resista l'idea che non sia accaduto, che fosse tutto un film.

E invece, purtroppo, è accaduto. La modernità – che spaventa tutti i regimi arabi – ha generato la reazione, e la reazione ha partorito l'attacco. L'attacco, a sua volta, ha prodotto almeno due risultati che andavano oltre le aspettative dei terroristi: il crollo delle Torri Gemelle, e l'incrinamento dei rapporti tra Stati Uniti e Europa.

Della prima questione non mi occuperò: non sono un ingegnere strutturale. Vorrei parlare di altre crepe, quelle che stanno rovinando strutture non meno importanti. Quelle che legano gli amici, e tengono insieme – dovrebbero tenere insieme – Paesi di consolidata democrazia. Vivo in Europa, ma sono tornato tre volte negli Stati Uniti, negli ultimi dodici mesi. In venticinque anni di frequentazioni americane non avevo mai sentito tanta incomprensione. Reciproca, naturalmente.

Loro peccano di disinteresse e mancanza di informazione. Gli Stati Uniti sono un continente – non per niente li chiamiamo «America» – che produce anche il proprio «altrove» (*elsewhere*, per chi non sa rinunciare alle lingue degli altri). Un continente che, con l'eccezione di una minoranza informata, riduce l'Europa a un vecchio parco-giochi, un po' démodé, ma ancora pieno di attrazioni: l'Inghilterra è la Casa della Nonna, la Francia il Giardino dei Nani Dispettosi, la Germania l'Allegra Caserma. E l'Italia? Noi siamo il Campo delle Favole: un luogo dove allenare, anche a distanza, la propria sensibilità (estetica, gastronomica, storica). Per capirlo, basta una visita in un supermarket americano, dove l'Italia è una sinfonia di fasulle suggestioni toscane, di vocali in eccesso, di marchi approssimativi.

L'Europa commette altri errori. Verso l'America, gl'inglesi sembrano covare antiche gelosie. I francesi offrono sempre nuove analisi (*toujours* Tocqueville). I tedeschi ondeggiano tra adorazione e invidia. Per noi italiani, l'America è la proiezione dei sogni e degli incubi: viene amata d'un amore infantile o odiata con un astio adolescenziale. Gli antiamericani sono dovunque: a sinistra e a destra, tra i cattolici e in mezzo ai leghisti. Spesso è gente che non ha mai messo piede negli Usa; e, se l'avesse fatto, non avrebbe capito neppure i menu dei ristoranti. Ma parla, giudica, condanna. La unisce un colossale malinteso: è convinta che gli Usa vadano presi a scatola chiusa. Errore: la scatola americana va aperta, e bisogna guardarci dentro. È l'unico modo di affrontare il più grande esperimento sociale degli ultimi duecento anni (una nazione fatta con gli scampoli delle nazioni, trasformati in corazza).

Leggete *De America* di Guido Piovene. Gran libro, che non dimostra i suoi cinquant'anni, e illustra invece come un europeo debba porsi di fronte agli Stati Uniti. Una combinazione di curiosità e rispetto, dignità e franchezza. Ricetta complicata, perché l'America – colpa sua, colpa nostra? – spinge gli stranieri ad adottare atteggiamenti opposti: supponenza e arroganza, servilismo e ipocrisie. Siamo schiacciati tra i molti che considerano gli americani parenti ignoranti, ai quali va spiegato tutto; e i tanti che li giudicano cugini arroganti, confondendo gli eccessi dell'amministrazione Bush con lo stato e l'umore della nazione.

In vista dell'11 settembre, gli uni e gli altri stanno affilando i loro preconcetti. Si preparino al duello, quelli che conoscono e capiscono l'America. Sarà goffo e inutile, ma inevitabile.

17ª Pizza Philadelphia, 4 giugno 2002

Gran posto, l'Argentina. Un Paese di campi verdi e fiumi color ruggine, di alberi viola e bandiere celesti, di cielo azzurro e chiese che sembrano di sabbia, di uomini in blu e ragazze scure col passo di pianura.

Un Paese al quale gli italiani hanno dato molto, anche perché ha dato molto agli italiani. Ci ha ospitato, e noi l'abbiamo costruito. Abbiamo alzato i palazzi della città e coltivato la campagna immensa. Scendendo da Cordoba a Rosario attraverso la *pampa gringa – gringos* siamo noi: ognuno ha gli americani che si sceglie – si vedono i campi lavorati dai piemontesi, i nomi familiari sulle insegne. Siamo tanti, da queste parti. Venti milioni di persone – più di metà della popolazione – hanno ascendenti in Italia. E hanno diritto al passaporto, se sono in grado di dimostrarlo. Nessuno, però, chiede loro d'imparare la lingua.

Mentre in tutto il mondo l'italiano guadagna posizioni, nel Sudamerica degli italiani stenta. Gli argentini ci capiscono: me ne sono reso conto nelle strade, nelle aule e negli uffici. Ma non parlano italiano, e non conoscono il Paese dove viene parlato. Per dieci giorni ho spiegato a ragazzi coi nonni di Piacenza dov'era Piacenza, e ai pronipoti degli abruzzesi che in Abruzzo c'è il mare.

I nostri Istituti di Cultura si danno da fare, come la Dante Alighieri. Ma la situazione è quella che è. Durante la «Settimana della Lingua Italiana», Fiorella Piras mi ha fornito queste cifre: 77.000 argentini studiano l'italiano presso scuole italiane, 340 lettori mandati dal nostro ministero degli Esteri lo insegnano, spesso in condizioni avventurose. Sono andato all'Università di Buenos Aires (Uba). Non hanno libri di testo perché gli studenti non possono permetterseli, e se potessero permetterseli glieli ruberebbero, perché non ci sono gli armadietti.

Ma non è solo questione di soldi. Mancano, mi sembra, la

curiosità e il desiderio. I nipoti degli emigranti che balbettavano in *cocoliche* oggi parlano castigliano. I miti culturali di Buenos Aires stanno a Parigi e a Londra, non a Roma o a Milano. L'uniforme dell'argentino benestante è il blazer blu, non la giacca di buon taglio. L'Italia è soprattutto un nome, un ricordo, la foto del nonno coi baffi e – naturalmente – il miraggio di un passaporto. In un Paese dove dodici milioni di persone vivono in povertà, e la classe media rischia di farlo presto, un passaporto italiano diventa un'assicurazione sulla vita. Vuol dire accesso all'Europa, e una pensione sociale.

In questi giorni i nostri consolati vengono presi d'assalto. A Buenos Aires le file s'allungano sui marciapiedi. File aggressive e malinconiche, odiose e mafiose: i *coleros* si mettono in coda con una lista di nomi in mano, e guai a chi protesta (i nostri funzionari non possono far nulla: il marciapiede è territorio argentino, e la polizia locale dice d'aver altro cui pensare). Così alcuni nostri consolati fissano appuntamenti nel 2005, quando li fissano. Altri, nell'accettare le domande, usano criteri discrezionali che sembrano una bomba a tempo: quando la mole delle richieste è enorme, le tentazioni di chi concede sono molte (Nigeria e Albania non ci hanno insegnato nulla?).

Mi chiedo – e chiedo a chi ne sa più di me – se non si debba inventar qualcosa. Se non si possa rispondere a questa fame d'Italia offrendo, e chiedendo, di più. Non sarebbe opportuno, ad esempio, che chi presenta domanda per il passaporto italiano dimostri di conoscere almeno un po' la lingua nazionale? Lo esigono diversi Stati del mondo, e nessuno grida allo scandalo. L'italiano in fondo è facile, per chi parla spagnolo. Poi vengano pure a trovarci, i cugini argentini: sono i benvenuti. Ma imparino a conoscere quello che desiderano. L'Italia è di più, ed è meglio, di una stella dorata su un passaporto amaranto.

18ª Pizza Cordoba, 16 ottobre 2002

Mi piace studiare l'effetto che le grandi città del mondo producono su noi italiani. Non parliamo di reazioni individuali, ma del sentimento prevalente. New York, per esempio, induce vertigini artistiche. Berlino, un frullato di memorie storiche. Mosca, altruismo spericolato. Dublino, eccitazione cultural-alcolica. Amsterdam, insidiosi giovanilismi. Bruxelles, euforie europee (o antieuropeismo acuto: dipende). Buenos Aires, invece, produce familiarità, stupore e un vago rimorso. Ovvero: fratelli, come avete fatto a ridurvi così?

Noi italiani ci aggiriamo per la capitale con una naturalezza che si trasforma in leggero disagio. La città dei *porteños* è un incrocio tra Napoli e Milano, ma è incamminata sulla strada di Bucarest. Sarebbe un disastro, e un peccato. Perché gli argentini sono dignitosi, spiritosi, geniali (hanno prodotto Gardel e Borges, non può essere un caso). Peccato siano talvolta pressappochisti, sempre fatalisti, spesso retorici (hanno eletto Menem, non può essere una coincidenza). Soprattutto, sono convinti – non tutti, ma troppi – che i guai siano sempre colpa di qualcun altro. Dell'America, della globalizzazione, della finanza, del governo, dei vicini, della sfortuna: mai loro. «In questo vi somigliamo molto», mi dice Ginetta Pradolin, classe 1917, durante la Pizza Italians.

Gli italiani arrivano, vedono, e cominciano a rimuginare. Danno consigli non richiesti, sparano analisi economiche, dicono cose strane. Li ho incontrati, i connazionali, allegri e frastornati, nelle piazze di Palermo (un quartiere, non una città), lungo Florida (una strada, non uno Stato), nei ristoranti di Costanera (non una costa ma la riva di un fiume color metallo). Li ho visti leggere il «Corriere della Sera» (in vendita con «La Nación») dentro la pizzeria Piola di Libertad, dove l'Italia s'è fermata al 1992:

elegante, incerta, minimalista. Li ho visti, gli italiani, discutere coi tassisti e dei tassisti. «Prendere solo radiotaxi. Con gli altri, non si sa mai!», dicono. E poi s'infilano dove capita.

Appesantiti dalla carne ubiqua – dite «*Parilla!*» a un milanese dopo due settimane d'Argentina: implorerà una pastasciutta – i connazionali s'aggirano tra memorie italiane, nomi italiani, costruzioni italiane, esempi italiani. Dante Alighieri è uno degli uomini più citati di Buenos Aires. La Boca, assicurano le guide turistiche, è *«una pequeña Italia en el corazón de los porteños y su ciudad»*. Prende il nome dallo sbocco del Riachuelo – un corso d'acqua che potrebbe piazzarsi bene nel concorso per il Fiume Più Sporco del Mondo – ed è storicamente terra d'italiani.

Da queste parti i nostri antenati crearono il tango, inventarono il *cocoliche* e portarono il calcio. Col tango – grande musica urbana: non tollera gli spazi aperti – ballavano. Col *cocoliche* – un «italo-spagnolo» che prende il nome da un napoletano – comunicavano. Col calcio, sognavano. Gli italiani fondarono il River Plate nel 1901, e il Boca Juniors tre anni dopo. Ancora oggi i gialloblù del Boca entrano nella Bombonera con la scritta *«Xeneizes»* (Genovesi) sulla maglietta. I visitatori italiani, al termine del pellegrinaggio obbligatorio tra le case colorate del Caminito, arrivano sotto gli spalti vertiginosi: lì dentro giocava Maradona!, dicono i napoletani. Aggiungono gli interisti beninformati: e lo sbarbato Javi Zanetti disputò la partita che lo consacrò (mezzo Boca fatto fuori in dribbling, e passaggio-gol).

Qualche italiano visita anche il cimitero di Recoleta – violentemente urbano, come il tango. Posto stretto, memorabile, barocco. I visitatori puntano tutti verso la tomba della donna per cui gli argentini nutrono una devozione quasi religiosa, Evita Peron. Non la trovano subito, perché sta nella cappella della famiglia Duarte. Così, strada facendo, si guardano intorno. E non vedono solo le statue, le guglie, gli angeli di pietra, i nomi altisonanti. Vedono l'incuria spettacolare, i fregi rotti, i vetri sporchi, il pavimento sottosopra. Buenos Aires è anche questa, purtroppo. E a noi italiani dispiace, in fondo. Perché l'Argentina è il nostro rimorso e il nostro rischio.

19ª Pizza Buenos Aires, 17 ottobre 2002

OLIVI NELLA FAVELA

Gli italiani nel mondo fanno tante cose. Cose buone e meno buone, utili e inutili, razionali e surreali. Accomunate, quasi sempre, da una caratteristica: sono cose sorprendenti. È come se ci fosse, nel profondo del carattere nazionale, un deposito di eccentricità pronto a uscire. E quando avviene l'eruzione, è uno spettacolo.

Può sembrare un esordio insolito, visto la storia che intendo raccontare. Sto viaggiando in Brasile, e lunedì ho trascorso la mattina nella favela della Rocinha, la più grande tra le 800 di Rio De Janeiro. Nulla di particolarmente esotico, né coraggioso. Le favelas sono ormai materiale letterario e cinematografico: andate a vedervi *Cidade de Deus*, ambientato qui vicino. E gli stranieri costituiscono una polizza di assicurazione: i narcotrafficanti che le controllano sanno che, finché siamo in giro, la polizia non spara (be', non dovrebbe).

Con queste certezze in testa ho chiesto a un tassista perplesso di portarmi da Ipanema fino all'imbocco della Rocinha, che passa per essere la più vasta favela del Sudamerica: un'immensa colata di casupole e baracche, che scende dalla montagna verso il mare, e ospita 200.000 persone. Avevo appuntamento con un numero di cellulare, perché con Barbara Olivi non avevo parlato. L'aveva chiamata

Rocco Cotroneo, corrispondente del «Corriere» in Sudamerica, chiedendo se poteva dedicarmi una giornata. Barbara ha detto sì. E non come l'avrei detto io se fossi stato al suo posto: con sufficienza sospettosa. No: ha accettato con gioia. E questo, devo dire, ha cominciato a preoccuparmi.

Barbara Olivi è un'energica bionda reggiana, e di mestiere faceva l'agente immobiliare a San Donato Milanese. Un giorno s'è stancata, ed è venuta in Brasile: fin qui, tutto regolare. Da queste parti gli stranieri cercano svolte, catarsi, rifugio, oblio, ripartenze. Il luogo è morbido e magico, e offre familiarità esotica (la lingua e i ricordi sono europei, le novità americane), insieme a «una gestione teutonica del piacere» (cito Cotroneo). Se questo Paese dovesse tassare le crisi esistenziali dei nuovi arrivati, risolverebbe il problema del debito estero.

La cosa strana è accaduta più avanti. Barbara Olivi ha conosciuto la favela e ha deciso di restarci. Ha imparato a scalare le strade invase dai rifiuti, dove i gatti fuggono davanti ai topi. Ha evitato di far domande sui narcogovernanti locali, e sui loro deliri a base di armi donne samba e cocaina. Ha preferito aiutare le giovani mamme con sette figli e nessun marito, e per farlo ha messo in piedi un asilo schiacciato contro la montagna. I suoi bambini hanno due sole ricchezze: la vita e l'Atlantico sullo sfondo.

Ci arrampichiamo verso quella povera umanità perpendicolare dentro un fetore che Barbara ormai non sente più. Parla della violenza sulle donne, del «vicolo degli sconvolti», dove la droga si compra e si consuma sul posto, come la pizza. Racconta di ragazzi morti per overdose di trielina e mi presenta adolescenti che hanno negli occhi la data di scadenza. Parla senza disperazione: anzi, sorridendo. Matta? Non credo: serena, come tutti gli uomini e le donne che sanno di non cambiare il mondo, ma credono di poterlo migliorare. Magari pochissimo. Ma è meglio di niente.

È curioso: il territorio delle favelas, dove i cattolici battono in ritirata di fronte alle aggressive chiese evangeliche, riconquistato da un'immobiliarista nata a Reggio Emilia. Un tipo di cui la gente si fida, forse perché non è un ministro, non è una delegazione, non è un'organizzazione non governativa. È solo un'italiana bionda con un cellulare vecchio modello e un indirizzo email. Una donna che ogni giorno deve pensare, prima che allo stato del mondo o al futuro del Brasile: cosa metto nel piatto a questi bambini? Come li lavo, li vesto e cerco di fargli dimenticare quello che vedono in casa?

Morale? Nessuna. Dico solo questo. È possibile, considerata la bellezza di questo Paese, che *Deus é Brasileiro*, come dice il titolo d'un altro film. È probabile, pensando alla Rocinha, che il diavolo abbia la stessa nazionalità. Ma è sicuro che sul posto s'aggirano angeli italiani. Uno faceva l'agente immobiliare a San Donato Milanese, e non molla.

23ª Pizza San Paolo, 21 ottobre 2003

IL SESSO DELLE VIOLE ALL'INIZIO
DELLA SECONDA ERA BUSH

È accaduto quando l'autista cubano ci ha scaricato tra le palme di Coconut Grove, in smoking, sotto un acquazzone tropicale, accusandoci d'essere saliti sulla macchina sbagliata: allora ho capito che valeva la pena.

Ad aspettarci nella villa dei Varela, i più grandi importatori di fiori di Miami, c'erano dozzine di ricchi ispanici in festa per Bush; quattro musicisti della Scala, preoccupati per noi; tre strumenti da quindici milioni di dollari e quattro guardie armate, preoccupate degli strumenti. Tra loro l'erculeo Hector, che aveva giocato come lanciatore nei San Francisco Giants e portava gli occhiali scuri in casa, forse abbagliato dai gioielli delle signore.

Se siete confusi, non preoccupatevi: lo ero anch'io, all'inizio. Certo, sapevo cos'ero andato a fare, in America: a presentare una tournée denominata *Eccellenze Italiane*, col Quartetto d'Archi della Scala di Milano e tre preziosi strumenti cremonesi (un violino Antonio Stradivari del 1715, appartenuto a Joseph Joachim; un Giuseppe Guarneri del Gesù del 1734, un tempo suonato dal grande Pinchas Zukerman; e una viola Antonio e Gerolamo Amati del 1615). Obiettivo: raccogliere fondi per il Fai (Fondo per l'Ambiente Italiano), attraverso il braccio americano dell'associazione (Friends of Fai). Conoscevo anche le date, però: 4-10 novembre, con l'America reduce dalle elezioni più rissose degli ultimi cinquant'anni. Non potrà essere un viaggio normale, ho pensato. E ho visto giusto, per fortuna.

Ci incontriamo per la prima volta a Cremona. Gli organizzatori sono entusiasti e sufficientemente incoscienti: dimenticano che sono cremasco, raccontano della liuteria, mostrano gli strumenti, presentano i musicisti e mi consegnano *Sotto il tiglio accordai il violino. Violini e violinisti nella letteratura tedesca.* Un volume fondamentale, alla vigilia di una tournée musicale negli Stati Uniti: anche se mi sfugge il perché.

A Washington arriviamo in ordine sparso. Il gruppo mi ricorda l'Inter: lombardo, piacevolmente anarchico, contiene un po' di tutto. C'è il presidente di Friends of Fai, Luigi Moscheri, con la moglie Liliana. Ci sono le ideatrici del progetto, Alessandra Pellegrini e Virginia Villa. C'è l'esecutrice, Renata Girola. E ci sono i cremonesi: Fausto Cacciatori, uno che di mestiere apre gli Stradivari e ci guarda dentro; l'assessore Gianfranco Berneri, che mi ricorda un assistente di Sherlock Holmes, ancora incerto sull'indagine da condurre; e il maestro Andrea Mosconi, il conservatore dei violini. Ogni mattina – spiegano – va a Palazzo Comunale e li suona, uno per uno. In viaggio non li molla un attimo, per nessun motivo: li abbraccia al check-in, li porta in bagno, li chiude in cassaforte vegliato dalle guardie armate, come concordato con l'assicurazione. Domando a Mosconi se, introducendo i concerti, posso presentarlo come «*the Strad's baby-sitter*» (il baby-sitter dello Stradivari). Lui ci pensa un po': «Meglio "badante". Il bambino ha una certa età».

Poi c'è il Quartetto d'Archi della Scala. Mai viaggiato con musicisti classici: ero convinto fossero austeri come badesse, e mi sbagliavo. Il torinese Francesco Manara, primo violino, suona lo Stradivari detto «il Cremonese» e pensa alla fidanzata colombiana (anche lei in America, ma nell'emisfero sbagliato). Pierangelo Negri ha una faccia western: se deponesse il Guarneri ed estraesse un Winchester dalla custodia, nessuno si stupirebbe. Simonide Braconi, romano, è insensibile al jet-lag: deposta la viola Amati, propone escursioni notturne. Il quarto è Massimo Polidori, torinese, uomo di mondo e portavoce del gruppo. La liuteria di Cremona, per dimostrare che sa produrre e non solo ricordare, gli ha affidato un violoncello Balzarini del 1988, primo premio della Triennale internazionale degli strumenti ad arco. Se volesse, Polidori riuscirebbe a venderlo agli americani: come strumento settecentesco, ovviamente. L'uomo, anche quando non suona Verdi, ci sa fare.

A Washington siamo ospiti a Villa Firenze, residenza dell'ambasciatore italiano, Sergio Vento, coinvolto da Bona Frescobaldi, presidente internazionale di Friends of Fai. Albemarle Street, aria autunnale e post-elettorale. Gli ospiti non acquistano un posto a tavola, come altrove: offrono solo buona volontà, e cercano celebrazioni (i repubblicani) o consolazione (i democratici). Luigi Moscheri saluta a nome del Fai. Il sottoscritto spiega perché Antonio

Stradivari fosse un bel tipo e Nicolò Amati un asso del franchising. Poi tocca ai musicisti, che s'aiutano con Brahms (quartetto n. 3 in si bemolle maggiore, op. 67) per sconfiggere il jet-lag sceso dentro il frac.

A metà concerto chiedo se qualcuno tra il pubblico è in grado di riconoscere uno Stradivari da un Guarneri del Gesù. Il bello di questi giochini è che un masochista si trova sempre. Si alza una signora dall'aspetto facoltoso. Francesco Manara suona i due strumenti uno dopo l'altro, lei sbaglia, pur avendo il cinquanta per cento delle probabilità (il 2 novembre, di sicuro, ha votato Kerry). Infine, si va a tavola: noto che, a tre giorni dalle elezioni, nessuno parla di politica. Un banchiere si giustifica: «Sa, Washington è una città democratica: l'argomento è esplosivo». Questo è il bello, gli rispondo, cercando di infilzare un fungo.

Il mattino dopo partiamo per Miami. All'aeroporto Dulles i gadget democratici sono in vendita a metà prezzo. Compro una maglietta, verrà buona nel 2008. Mosconi, come Gollum del *Signore degli Anelli*, difende il suo tesoro: sostiene che, toccando i violini, si trasmette acido urico al legno. In Florida ci accolgono quattro guardie armate gigante.sche, percentuale di acido urico non accertata. Il capo è di origine italiana, guida una Bmw coupé e mi porta al Monty's Rawbar, dove suonano musica giamaicana, in minigonna e senza Stradivari. Dice che, di solito, protegge dive del cinema. È la prima volta che fa il guardaspalle a due violini. Suggerisco di osservarli da dietro: la forma è la stessa.

Arriviamo a casa Varela, grondante di fiori. Mosconi vuole chiudersi in mansarda coi violini perché dice di sentirsi più sicuro, ma viene dissuaso. Poi la responsabile della delegazione Fai di Miami, Anna Piva, dice: liberi tutti, fino alla sera. I coniugi Moscheri e il sottoscritto arrivano con un'ora di ritardo, per gli eventi tropicali raccontati all'inizio, ma lo smoking bagnato, sul mare di Miami, fa molto 007, e il pubblico sembra ben disposto.

Spiego che la musica, quattro giorni dopo le elezioni, è da includere tra i *moral values* (valori morali), ed è quindi in grado di mettere d'accordo repubblicani e democratici presenti. Ma di questi ultimi non devono essercene molti, a giudicare dai sorrisi radiosi. A cena discutiamo dei rapporti tra liuteria e floricultura. La figlia diciottenne della padrona di casa è entusiasta dello Scala String Quartet. Un quarto del quartetto è entusiasta di lei.

Tagliamo l'America in diagonale, e arriviamo a San Francisco. Serata in casa Getty, a Pacific Heights, un deposito di capolavori: la famiglia appende Pissarro, Degas e Canaletto dove altri appenderebbero calendari. Tra gli ospiti ci sono imprenditori della Silicon Valley, i creatori di Seaside (la «città ideale» in Florida dov'è stato girato *The Truman Show*), collezionisti libanesi di strumenti cremonesi: che però, cercando di distinguere lo Stradivari dal Guarneri, sbagliano come disc-jockey qualunque.

La serata, organizzata dal trio Manetti-Faggioli-Bassetti, è offerta da Gordon Getty, figlio di J. Paul Getty, un tempo classificato come l'uomo più ricco del mondo. Oggi Gordon è a capo di una famiglia dalla geografia complicatissima, che il nostro status di ospiti c'impedisce d'indagare. So che ha composto un'opera intitolata *Plump Jack* (Jack il Cicciottello), ispirata al *Falstaff.* Durante le presentazioni, GG conferma di ritenersi un musicista, con un sorriso sornione e un tono di velata minaccia. Non so interpretarlo finché, tra il primo e il secondo piatto, non si ode «La calunnia è un venticello...». È Gordon Getty che canta a tavola, e continuerà per tutta la serata. Gli ospiti ascoltano e applaudono educati. Di certo, è più originale della filodiffusione.

L'ultimo appuntamento, preceduto dalla mia solita omelia liutaria, è nella Grace Cathedral, 1100 California Street: concerto pubblico per ottocento persone che hanno acquistato un biglietto da trenta dollari. Non c'è dubbio: maggioranza di democratici, in fase di elaborazione del lutto; i ragazzi della Scala esordiscono con i *Crisantemi* di Puccini, e li stendono tutti. Tra Brahms e Schubert (che ha sostituito Verdi) gli chiedo di parlare degli strumenti che stanno suonando in giro per l'America. Manara, a sorpresa: «Diciamo che questo Stradivari è come una bella donna, con una voce calda e sensuale». Negri, allora: «E questo Guarneri è un uomo affascinante, con un tono potente e scuro». Braconi, a quel punto, si trova a dover decidere qual è il sesso della sua Amati. Un dilemma che a San Francisco suscita una certa partecipazione.

Gran finale, e applausi del pubblico pagante. Da stasera sa qualcosa di più del Fai, della Scala, di Cremona e del sesso delle viole. Tutte cose utili per risollevare lo spirito, all'inizio della seconda era di George W. Bush.

29ª Pizza Miami, 7 novembre 2004

PROGETTO SANSONE

Chiamiamolo «Progetto Sansone»: demolire il tempio, a costo di restare sotto le macerie. Il tempio è l'Italia, e gli eroi – distruttivi, masochisti – sono tanti. Sono quelli che non si preoccupano di come sarà il Paese tra dieci, venti o cinquant'anni. Piuttosto che cambiare abitudini, o perdere privilegi, sono disposti a rischiare il crollo. Ma provate a spiegare queste cose nella California del Sud: mica facile.

Le università, molte professioni, le istituzioni culturali, le aziende pubbliche (ma anche quelle private), certe banche: si moltiplicano gli studi sulla classe dirigente italiana, ma i risultati sono sempre più scoraggianti. Un tempo si parlava di gerontocrazia, ma non è più una questione di età: le nuove leve prendono i vecchi vizi, e li perpetuano. I trentenni si riuniscono entusiasti nei think-tank, dove sognano di cambiare il mondo; a quarantacinque sono in fila per una carica o una concessione governativa in Italia. Nelle facoltà di Medicina il 40 per cento dei professori sono figli di professori: se qualcuno pensa che sia una coincidenza, benvenuto nel Paese delle Meraviglie.

Queste pratiche scoraggiano i volonterosi, e li mettono in fuga. Una volta ancora li ho incontrati: astronomi e ingegneri, biomedici e neurologi, esperti di robotica e oceanografia. Ucla, Cal, Jpl, Nasa, Scripps: le migliori istituzioni scientifiche californiane sono piene di italiani. Spesso non è facile, per loro. Le preoccupazioni e le restrizioni seguite all'11 settembre hanno reso più difficile ottenere il *clearance* (nulla osta) per lavorare nei centri di ricerca americani. Ma i nostri ricercatori sono disposti a sopportare anche questo, pur di avere un'opportunità.

Il nostro consolato di Los Angeles ha organizzato, con pochi mezzi e molta fantasia, il «Quinto incontro tra gli scienziati italiani della California del Sud», in occasione della Festa della Repubblica. Facevano – facevamo – una certa tenerezza, con i nostri salatini in mano e il vino bianco un po' caldo, in una mattina di giugno, a poca distanza dalle ville degli attori: giovani ricercatori scesi da poco dall'aereo insieme a scienziati arrivati trent'anni fa negli Usa. Ufficialmente venivano a illustrare le proprie ricerche. Di fatto, erano lì a condividere il piacere agrodolce d'essere italiani.

I nomadi hanno patria: ma la patria, purtroppo, se ne dimentica. Mi dice Stefano Soatto, un ingegnere laureato a Padova, ora professore alla Cal (California State University): «Qui negli Usa il mio "pacchetto di partenza" era un fondo di mezzo milione di dollari. In Italia sarebbe stato un blocco d'appunti e una biro». Raccontava un neurologo, durante la Pizza Italians di San Diego (*lunch* a Coronado!): «Nei congressi medici, i professori italiani sono gli

unici che si presentano con un assistente quarantacin-
quenne incaricato di appendere i poster».

Malinconico? Di più. Preoccupante, se fossimo ancora
capaci di preoccuparci. È bello che studiosi e scienziati vadano all'estero. Ma devono andarci sereni: per conoscere,
imparare, migliorare. E, magari, tornare. Invece molti ci
vanno amareggiati, e in testa hanno un biglietto di sola
andata. Una vera politica per il ritorno non è stata fatta. Il
successo all'estero è una cosa che nelle università e nelle
aziende italiane bisogna farsi perdonare.

Sono cervelli in fuga col mal di fegato. L'anatomia non
consente questi prodigi, ma l'Italia sì.

**

Confindustria dovrebbe portare i nostri giovani imprenditori a Tucson, Arizona, quest'estate: in fondo si tratta solo
d'interrompere per qualche giorno il gravoso impegno
delle vacanze. Un posto arido e torrido, con poche leggi e
molta aria condizionata, è diventato una delle città più di-
namiche d'America. Strumenti ottici e computer, difesa e
sport, ottima università e luoghi di cura. Californiani avventurosi e neo-pensionati del nord si trasferiscono qui, e
la popolazione aumenta a balzi. Siamo a un milione, ma
nel deserto di Sonora c'è posto per tutti.

Vengano a Tucson, i nostri industriali e i nostri banchieri. Capiranno come si mastica il futuro. Vengano anche
quelli che in Italia scrivono le regole barocche che scoraggiano le assunzioni, aumentano i costi, mortificano le idee e
complicano la vita: c'è da imparare anche per loro. Non si
tratta di adottare il modello sociale americano. Teniamoci
pure la famiglia e le piazze, la sanità e l'istruzione pubblica,
che sono il marchio di fabbrica della nostra civiltà. Ma rendiamoci conto che il mondo ha accelerato. Se non vogliamo restare indietro, dobbiamo inventare qualcosa.

Quanti anni hanno avuto le nostre industrie tessili per prepararsi allo shock cinese? Dieci, dalla decisione nel 1995 di far decadere gli accordi commerciali che regolamentavano le importazioni tessili verso la Ue dai Paesi terzi. È offensivo dire che, forse, non è stato fatto tutto quello che si poteva fare? Qui in America dieci anni sono un secolo, in Arizona qualcosa di più. A Tucson ero stato a metà degli anni Ottanta e a metà degli anni Novanta. L'unica cosa che è rimasta uguale sono i grandi cactus *saguaro*, che disegnano il cielo al tramonto.

Perché l'America – quella asciutta e dinamica, non l'altra, dogmatica e imperiale – va studiata? Perché nasconde le chiavi del futuro. Gli europei che venticinque anni fa hanno intuito le potenzialità della tv commerciale hanno fatto i soldi (in Italia, anche una carriera politica). Chi, quindici anni fa, ha capito la forza e i meccanismi della grande distribuzione (outlet, shopping mall) ha avuto successo. Ebbene: credete che oggi non ci sia niente da imparare/imitare/importare?

Tre esempi, tra i tanti. Qui ci sono supermercati senza cassieri (il cliente passa i prodotti davanti al lettore ottico, paga e se ne va); e Internet ad alta velocità non è solo un mezzo più veloce, ma uno strumento nuovo che permette di fare cose nuove (c'è in ogni albergo, come la doccia e il televisore). La generazione affollata e benestante dei *baby-boomers* – nata dopo la Seconda guerra mondiale – s'avvia alla pensione, e negli Usa le stanno organizzando il *buen retiro*: nuovi passatempi, nuove cure, nuovi prodotti finanziari. Qui in Arizona ci hanno aggiunto cieli azzurri, ristoranti messicani, strade larghe, campi di golf, cliniche efficienti e i Fleetwood Mac nell'autoradio. Anche in Europa esistono i neo-sessantenni benestanti, e chiedono le stesse cose. Ma in Italia ce li stiamo facendo scappare, convinti che il Paese di Leonardo non debba sistemare l'autostrada Salerno-Reggio Calabria.

Vengano a Tucson, i nostri giovani imprenditori, invece di scambiarsi complimenti per il colore della Cayenne sul ponte di una barca. Consiglio un luogo di meditazione: Hacienda del Sol, sotto le montagne Catalina, all'ora del tramonto, quando s'accendono i neon su questa città che sembra fatta col Lego. In quel lago di luci c'è l'eterna infanzia dell'America. La macchia scura a sinistra è invece il «cimitero d'aeroplani» della Davis-Monthan Air Force Base. Uno spettacolo mozzafiato: cinquemila apparecchi, che una volta erano moderni, aspettano la fine nel sole e nel buio.

Se in Italia non vogliamo finire così, diamoci una mossa.

37ª Pizza San Diego, 4 giugno 2005

NON SOLO UNA STORIA DI FAMIGLIA

A Montevideo ci sono più italiani che a Firenze la domenica. Sono arrivati alla fine dell'Ottocento, e non in gita. Posto strano: uno di quei luoghi che avevo sempre sentito nominare, ma la cui esistenza non era mai stata provata. Ha qualcosa di Lisbona, Danzica e Trieste: bella città malinconica, mescolata e marginale, sdraiata davanti a un'acqua col nome sbagliato. Lo chiamano Rio de la Plata (fiume d'argento) ma è un mare color tabacco. Per arrivare a Buenos Aires – che sta, invisibile, dall'altra parte – occorrono tre ore d'aliscafo (*buquebus*).

A Montevideo, come in quasi tutti i posti interessanti, non si passa: si va. Una democrazia decorosa, un milione e mezzo d'abitanti dignitosi: dicono sia la città del Sudamerica con la qualità della vita più alta. Bella forza, mi dice un residente: non avere i soldi per l'auto è un modo sicuro per evitare gli ingorghi del traffico. Sarà. Ma se salite al ri-

storante Arcadia, 25° piano dell'hotel in Plaza Indepen-
dencia, vorreste restarci ore, ad ammirare questa frangia
dell'America in paziente attesa che venga ancora il suo
turno.

Una città composta, malinconica, talentuosa e presun-
tuosa, sfiduciata. I tre milioni di uruguagi sono i sardi del
Sudamerica: poca gente e di classe, ma dotata di scarsa au-
tostima. La nazione compensa con l'iperbole e i ricordi.
Se a Porto Alegre si parla solo di Ronaldinho Gaucho
(presente), e a Buenos Aires è tuttora in corso la santifica-
zione di Diego Maradona (passato prossimo), qui si ve-
nera lo Stadio del Centenario (passato remoto), un sacra-
rio laico dove si portano anche i visitatori che di calcio
non sanno niente, e pensano che Schiaffino sia un atto di
moderata aggressività.

Dovunque, tracce d'Italia. La squadra del Peñarol –
corruzione dell'italiano «Pinerolo» – è stata fondata dai
piemontesi. Qui sono passati Garibaldi (monumento),
l'architetto Veltroni (parente?), Licio Gelli (villa). Qui
nella *Provincia Oriental* gli italiani hanno tirato su ospedali, allevato mucche, iniziato commerci. Oggi sono in pista la quarta e la quinta generazione: decisamente uruguai-
gie, eppure curiosamente italiane. Ogni tanto, nelle facce
e nei modi, passa veloce qualcosa di nostro. Ma bisogna
coglierlo al volo, perché non si ferma.

L'ho capito guardando Karina e Rosanna Severgnini, che
mi spiegavano la carne da scegliere al Mercado del Puerto.
Non è certo che siamo parenti, ma è probabile: forse il
loro bisnonno (Bernardo, 1851) era cugino del mio (Francesco, 1844). Lo lascia pensare il paese d'origine – Offa-
nengo, vicino Crema – e un sacchetto di monete ottocen-
tesche dell'Uruguay, trovate recentemente nella nostra ca-
scina di famiglia.

Bernardo, sceso dalla nave, s'era stabilito a Paysandú,
sul confine argentino, aveva trovato lavoro all'ospedale lo-

cale e aveva fatto cinque figli. Questi ne hanno fatti altri dodici. Quei dodici, un'altra ventina. Quei venti, altri trenta. I Severgnini di oggi sono avvocati, medici, dentisti, chimici. Me ne sono trovati davanti una dozzina alla Pizza Italians, dopo la conferenza all'Istituto di Cultura. Tutte donne: bionde, brune, sveglie e sorridenti. Avevo portato dall'Italia due di quelle vecchie monete, e gliele ho regalate.

Solo una storia di famiglia? Certo: ma ripetuta migliaia e migliaia di volte, tra Uruguay Argentina e Brasile, diventa storia d'Italia. Storia affascinante e dura, con un finale strano. Dopo aver trascurato questa gente per un secolo, le abbiamo buttato lì il voto, invece di prestarle attenzione.

51ª Pizza Montevideo, 20 aprile 2006

LINGUA E BUONA VOLONTÀ

La lingua italiana è la chiave del nostro futuro. Non l'unica. Ma è una chiave lucida, pulita, onesta e – se saremo bravi – perfino remunerativa.

Non ci voleva molto a capirlo: ma, per decenni, non l'abbiamo capito. Eppure era lì da vedere, il serbatoio di buona volontà costituito dalla nostra emigrazione. Non parliamo di quella recente, professionale, informata. Parliamo dell'altra, più vecchia. Un'emigrazione sparpagliata, complessa, talvolta testarda: ma fin troppo generosa, in fondo. Dall'Italia non ha avuto molto – se n'è andata per necessità, non per turismo – eppure l'ha perdonata: e ora le interessa. Moltissimi non sono più italiani: la loro prima lealtà va al Paese che ha accolto i loro genitori o i loro nonni. Sono statunitensi negli Usa, argentini in Argentina, brasiliani qui in Brasile. È inevitabile, ed è giusto.

Thomas Jefferson scriveva: «Ogni uomo ha due nazioni: la sua e la Francia». Noi potremmo dire: «Ogni italiano nel mondo ha due patrie: la sua e l'Italia».

Il fatto di chiamarsi Trevisan (pagine e pagine nell'elenco, a San Paolo) o Severgnini (ci siamo anche qui, a Porto Alegre) non è un giuramento. È un ricordo, uno spunto, spesso una consolazione, qualche volta una tentazione. La tentazione di conservare (o imparare) l'italiano, per esempio. E usarlo per riprendere contatti, programmare viaggi, combinare affari, tenersi informati in vista di un voto che era giusto concedere, perché l'Italia aveva dei debiti. Ma perché, dico io, ripagarli nel modo sbagliato?

Prendiamo i collegi elettorali esteri: un'idea sballata per molti motivi. 1) Perché perpetua la separatezza: qui il povero Brasile (l'Argentina, il Venezuela...); laggiù, scintillante sullo sfondo, l'Italia. 2) Perché costa cara. 3) Perché è barocca (i consolati, che devono preparare gli elenchi elettorali, passano dall'ansia alla disperazione, con brevi intervalli di angoscia). 4) Perché esclude la nuova emigrazione professionale, che nulla sa dei traffici politici del posto. 5) Perché eleggerà feudatari locali, per i quali il seggio a Montecitorio sarà solo un'altra onorificenza. Sarebbe stato più facile ed economico votare per corrispondenza nei collegi italiani. Ma a Roma le cose semplici fanno paura: rischiano di essere capite.

Perché, partendo dalla lingua, siamo arrivati al voto? Perché sono due modi diversi per garantire «l'interesse nazionale» nel mondo (che continuerà ad esistere, con buona pace dell'Unione Europea). Ma uno – il voto così com'è concepito – è complesso, costoso e basato su anacronistici legami di sangue. L'altro – la lingua – è fresco, mobile, duttile e inclusivo. Le istituzioni italiane all'estero – invece di guardarsi in cagnesco – dovrebbero collaborare, tra loro, con le scuole e coi dipartimenti d'italiano delle università, per rilanciare questa nostra ricchezza. Alcune lo fanno, per fortuna. In questo viaggio ho visto il consolato di Philadelphia lavorare con Princeton, Penn e Drexel; l'Istituto di Cultura qui a San Paolo lavorare con l'Università. E, nella stessa città, ho passato una mattinata con i ragazzi della scuola «Eugenio Montale». Hanno da dieci a diciassette anni. Non so se siano italiani, brasiliani o una delle infinite vie di mezzo. So che sono luminosi, curiosi ed entusiasti. E non parlano in inglese dell'America: parlano in italiano dell'Italia.

***

Noi italiani riusciremo anche simpatici, ma siamo una nazione di pazzi scatenati. L'ho scritto, l'ho detto, lo ripeto: introduciamo la legge sulla cittadinanza più generosa del Pianeta – basta un trisnonno nato in Italia, e si può essere cittadini italiani residenti all'estero – e non chiediamo neppure una minima, timida, basilare conoscenza della lingua italiana.

Se ci pensate, è pazzesco. Lo fanno tutti gli Stati del mondo. Lo fa la Svezia e la Svizzera, il Canada e l'Estonia, l'Australia e gli Stati Uniti. Lo fa il Brasile. Alla Camera di Commercio qui a San Paolo, dove qualcuno è rimasto un po' turbato dalla mia franchezza, mi hanno raccontato che per «naturalizzarsi» occorre un colloquio. In portoghese, ovviamente.

Sembra evidente, ma in Italia l'evidenza è un optional, come i sedili riscaldati sulle automobili. La legge voluta fortissimamente da Mirko Tremaglia – e scarsissimamente letta da chi l'ha votata – ormai c'è. Il nostro ex ministro ha agito per passione personale (giusta) e calcolo politico (sbagliato, visto che ha perso le elezioni). Mi dicono che ora ha capito l'importanza della lingua: per il voto, e non solo. So di leader politici – destra e sinistra – altrettanto convinti. Forza, dunque: siamo in tempo.

In questo viaggio in Sudamerica — tre Paesi, tre Pizze Italians, sei grandi città — mi sono reso conto che l'introduzione del «requisito della lingua» avrebbe tre grossi vantaggi e risolverebbe altrettanti problemi.

Primo vantaggio. Imparare la lingua è una prova d'interesse e amore per un Paese. Gli opportunisti — quelli che vogliono il passaporto italiano per far compere a Miami, e/o volare in Spagna senza visto (e quanti sono!) — verranno scoraggiati. Lo stesso vale per i superficiali. In questa categoria metto, e mi dispiace, Marisa Lula, moglie del presidente brasiliano. La signora ha detto d'aver chiesto (e ottenuto) il passaporto italiano per il bene dei figli («Non si sa mai!»), ma di non capire le istruzioni per il voto. Due affermazioni bizzarre in un colpo solo, complimenti.

Secondo vantaggio. L'obbligo di conoscenza della lingua ridurrebbe il numero delle domande, e sfoltirebbe le folli liste d'attesa. I nostri consolati sono allo stremo: non solo devono affrontare lo tsunami delle richieste, ma inseguire gli aventi diritto al voto (dopo le elezioni, ci sono i referendum). A proposito: perché bisogna correr dietro alla gente e pregarla di votare, spedendo plichi che vanno perduti per colpa di elenchi impossibili da aggiornare? Se il voto è un diritto, gli aventi diritto si facciano avanti.

Terzo vantaggio. Il collegamento lingua-cittadinanza porterebbe pubblico, interesse e soldi ai nostri Istituti di Cultura (che ne hanno bisogno). Metterebbe il turbo alle attività italiane all'estero (dai commerci all'editoria, dal cinema al teatro). Aiuterebbe i nuovi italiani nel mondo a entrare nella vita nazionale (penso al lavoro, ai viaggi, ai media).

Domanda finale: ma l'Italia li vuole questi vantaggi?

52ª Pizza Porto Alegre, 25 aprile 2006
53ª Pizza Brasilia, 28 aprile 2006

Sto insegnando al Middlebury College. Colpa di una Italian, Nicoletta Marini-Maio, organizzatrice della 17ª Pizza a Philadelphia (2002), e ora trasferita qui in Vermont, il bergamasco d'America. Bel posto, Middlebury: un incrocio tra un campo-scout e un seminario di montagna, pieno di verde, granito, zanzare e cortesia. La *library* – legno chiaro, vetrate e infiniti computer affacciati sui prati – farebbe venir voglia di studiare anche a una valletta di Amadeus. In mensa si mangia bene e non occorrono frigoriferi: basta l'aria condizionata. Campi da tennis, piscina olimpionica, biliardi, caffè e sale di lettura: tutto è aperto sempre, senza prenotazioni e formalità.

I college descritti da molti romanzi americani – sesso, droga e rock'n'roll (per accompagnare l'alcol) – sembrano distanti anni luce. I professori vengono bombardati d'istruzioni prima d'arrivare: una volta qui, si è liberi di fare, disfare, esserci o scomparire. Basta far lezione, essere puntuali, non gridare, parcheggiare nei posti assegnati e comportarsi bene con studenti e studentesse. La *faculty* (il corpo insegnante) riceve pagine e pagine di moniti sulla *sexual harassment* (molestia sessuale), un concetto che negli Usa interpretano in modo estensivo. Applicato nelle università italiane, riempirebbe le carceri appena svuotate dall'indulto.

Middlebury è un posto interessante, adatto per ragionare sull'argomento del secolo per la stagione in corso: gli studenti che tra un mese, in tutta l'America, andranno all'università. Con mamma e papà. Che si agitano, si preoccupano, s'impicciano, si raccomandano. La generazione più protetta della storia dell'umanità inizia il percorso universitario col fiato sul collo. La University of Vermont – 50 chilometri da qui – ha dovuto impiegare ex studenti come buttafuori per impedire che i genitori s'infiltrassero negli «incontri d'orientamento», e ha istituito il corso

Parenting from a Distance (Genitori a distanza) per «guidare attraverso i vari stadi dell'ansia da separazione e offrire consigli per la transizione».

Poi c'è l'alcol. Cosa accade? Questo: i ragazzi, cui è stato ripetuto per diciott'anni che bere è demoniaco (spesso da genitori attaccati al gin&tonic), arrivano e non vedono l'ora di ubriacarsi. Di solito, ci riescono. Tom Wolfe, autore di *Io sono Charlotte Simmons*, ha forse esagerato nel descrivere le tentazioni di un'ingenua matricola del North Carolina, ma nelle università americane la sbronza sistematica è un flagello. Sono intervenuti associazioni di genitori, il Congresso e il Century Council (l'organizzazione dei produttori contro l'abuso di alcol), che ha pubblicato un opuscolo che risponde a domande come queste: «Come ti comporti se trovi uno studente svenuto nel bagno?», «Cosa fai se il tuo compagno di stanza vuole solo bere e andare ai party?» (risposta sbagliata: ci vado anch'io!).

Qualche papà e qualche mamma ha capito che il problema sta a monte, e demonizzare l'alcol vuol dire renderlo più interessante, per un teen-ager. Meglio un'educazione familiare, che prevede anche un assaggio di vino o una birra prima dei ventun anni, magari durante il pasto serale in famiglia. Niente da fare. Li hanno soprannominati *toxic parents* (genitori tossici), e minacciati: con l'ostracismo sociale e conseguenze penali (in diversi Stati la legge punisce i genitori che permettono ai minorenni di consumare alcol in casa o nelle vicinanze).

Ecco: questa è una materia dove noi italiani – per una volta – potremmo insegnare molto. Ma ho la sensazione che in America non siano interessati. Peccato. Sanno creare i campus più belli e funzionali del mondo; ma sulla testa dei ragazzi – lo dico con amicizia – qualcosa devono ancora imparare.

58ª Pizza Vermont, 5 agosto 2006

Parlare del proprio Paese all'estero è difficile: si rischia di passare per indulgenti o ipercritici. Alcune nazioni hanno un problema extra: possiedono caratteristiche clamorose, che agiscono come un faro puntato negli occhi. Per gli Stati Uniti sono la Casa Bianca e Hollywood: molti italiani non riescono a vedere oltre. Per l'Italia negli Usa i grandi stereotipi sono la Toscana e la criminalità organizzata. La prima viene usata per provare che l'Italia è un paradiso (non è vero: troppo disordinato), la seconda per dimostrare che è un inferno (falso: i poveri diavoli hanno stile, buonumore e buon cuore).

In che modo, allora, spiegare come siamo fatti in cinque minuti di diretta tv? Perché questa era la sfida, tra una presentazione a Toronto e un'intervista a Boston: riassumere l'Italia nel sole di New York, al *Today Show* della Nbc, dov'ero ospite per promuovere il mio libro *La Bella Figura*. Il programma negli Usa è celebre, io no. Ma una conduttrice americana non si lascia spaventare da questi particolari: la sua cortesia è uno schiacciasassi, e ti convince che la signora non si limita a porre domande, ma è addirittura interessata alle risposte (www.msnbc.msn.com/id/14366142).

In particolare, l'intervistatrice – Ann Curry – chiedeva che commentassi alcune affermazioni. Per esempio: «In Italia, il tempo dei pasti è fondamentale per le famiglie». Le ho risposto: esatto. A tavola i ragazzini italiani imparano a mangiare, a bere, a discutere e a difendere il proprio punto di vista. Stiamo allevando una generazione di avvocati, è vero: ma in materia – ho spiegato, con tutte le cautele del caso – l'Italia può insegnare qualcosa all'America, dove il pasto familiare si riduce a una corsa a cronometro verso il frigo. I concorrenti partono uno per volta, vince chi è più veloce.

Affermazione numero due: «La piazza è il vostro shopping mall». Anche questo è vero. Anzi, di più: la piazza è, come dicono qui, *the mother and father* (la mamma e il papà) di tutti gli shopping mall d'America e del mondo. Circa mille anni fa abbiamo inventato un luogo dove si possono comprare molte cose diverse in poco tempo, vedere gente, raccoglier notizie, rifocillarsi, passare il tempo. Gli americani ci battono in una cosa: il parcheggio. Piazza Maggiore a Bologna è efficiente quanto un mega shopping mall degli Usa, ma qui si posteggia meglio.

Affermazione numero tre: «Un semaforo rosso vuol dire più di "Stop!"». Vero, ma impreciso. Un semaforo rosso è un invito alla discussione: e se non c'è nessuno con cui parlare, facciamo da soli. Vogliamo decidere se quel divieto si applica alla situazione, e al nostro caso particolare; lo stesso facciamo con qualsiasi norma (stradale, fiscale, morale).

Affermazione numero quattro: «Mai pensare, in Italia, che un'emergenza sia un problema». Esatto: alla Nbc sono bene informati. Gli imprevisti ci piacciono; è l'ordinaria amministrazione che troviamo ripetitiva. Sul lavoro, negli studi, in economia, nella Coppa del Mondo di calcio (vinta): dateci un'emergenza, e diamo il meglio.

Affermazione finale (la tv va veloce): «Un cappuccino dopo cena è illegale». Anche immorale, ho aggiunto: i ristoratori italiani negli Usa dovrebbero rifiutarlo, e rieducare la clientela. In Italia, invece, ordinare un cappuccino dopo un lauto pasto è come mostrare il passaporto: ehi, sono americano!

Ann Curry sembrava convinta, il pubblico del Rockefeller Center pure, gli americani davanti alla tv non so. Ma bisogna pur fare qualcosa per aiutare questo grande Paese. Siamo amici, no?

59ª Pizza Toronto, 6 settembre 2006

Quando ho scoperto che invece di chiamarlo «sesso» lo chiamavano «amicizia con privilegi» (*friendship with benefits*), ho deciso di preoccuparmi. Non per me: per loro. I ragazzi di Princeton sono svegli e svelti, maturi e metodici: forse troppo. Le emozioni non vengono negate, ma sistemate in una bella casella con sopra scritto «Emozioni». Così le sbornie o lo sport: ogni cosa – a parte la politica, che qui non sembra interessare – ha una casellina. Alla studentessa che prima della conferenza m'accompagna per il campus dico: ho letto che qui le amiche, per fare due chiacchiere, fissano un appuntamento alle sette del mattino. Lei mi guarda: «Be', che c'è di male?».

Capito perché Princeton è interessante? Perché è il laboratorio dell'America che verrà: non l'unico, ma uno dei più affascinanti. Chi sta qui ha superato una selezione feroce (viene accolta una domanda su dieci), e spende soldi (15.225 dollari l'anno per famiglia, sebbene una su due riceva un sostegno finanziario). Si considera perciò un investimento, e si comporta di conseguenza. Princeton è stata spesso nominata, in questi ultimi anni, *America's Best College*, alla pari con Harvard. Il riconoscimento viene da «U.S. News & World Report», che ogni autunno pubblica una meticolosa indagine che molti contestano ma tutti leggono (sapere chi è il «numero uno», in America, è una piacevole ossessione cui nessuno vuol rinunciare).

Come sono fatti i 6500 ragazzi che studiano in questa oasi del New Jersey, a un paio d'ore d'auto da New York? Dare giudizi dopo un paio di visite non è serio. Si possono però mettere insieme impressioni, conversazioni e letture. Per esempio, un eccellente reportage di David Brooks per l'«Atlantic Monthly», intitolato *The Organization Kid*. Descrive una nuova classe di «studenti professionali», più prudenti che poetici, disinteressati alle discussioni intellettuali fuori dalle lezioni, poco inclini allo scontro (in un gruppo di lavoro o per questioni politiche). «È raro che un allievo contesti un professore», racconta una docente con una nota di delusione nella voce (curioso: anche in Bocconi a Milano mi sono sentito dire la stessa cosa).

Tant'era inquieta la «generazione X» nata negli anni Settanta, tant'è posata – e ben più numerosa – questa nuova leva, venuta al mondo durante il boom demografico degli anni Ottanta. La «generazione Y» appare «lavoratrice, serena, seria e deferente», scrive ancora l'«Atlantic Monthly». Spogliate le Nike e deposti i Levi's, attraversa i vent'anni vestita Old Navy o Abercrombie & Fitch, chiedendo rispetto per l'autorità e più disciplina. «Il look è vagamente retró – una sorta di vivace innocenza pre-omicidio Kennedy», scrive Brooks. «Ragazzi tutti d'un pezzo il cui compito sembra correggere il narcisismo e il nichilismo dei loro *boomer parents*, i genitori cinquantenni.»

Qualcuno dirà: ma questa è Princeton, la più *preppy* (elegante, sobria, perbene) di tutte le scuole della Ivy League! Questi sono 6500 giovani che volano sopra l'America a bordo di un dirigibile gonfio di soldi e di talento! Rispondo: vero, ma questo dirigibile è l'incubatore della futura classe dirigente. E negli Stati Uniti la classe dirigente – ci piaccia o no – dirige: non insegue. Quella di oggi crede nell'eccezionalità dell'America, che «sempre più appare come un fatto e un fato», come scrive John Parker sull'«Economist». E la classe dirigente di domani, in cosa crederà?

È importante saperlo. Perché magari l'America non sa bene dove va, ma ci sta andando di gran carriera. E alla guida, un giorno, ci saranno questi ragazzini che ora studiano nella luce bianca della biblioteca Firestone e giocano con gli scoiattoli invece di chiudersi in camera con la compagna di corso. Chissà. Forse chi avesse respirato il clima di Georgetown e Harvard negli anni Sessanta avrebbe potuto immaginare Bill Clinton e Al Gore. Chi annusa l'aria di Princeton, oggi, cosa può prevedere? Una cosa, di sicuro. La storia d'America non finisce con George W. Bush e Dick Cheney. La storia d'America è molto più interessante di così.

60ª Pizza Princeton, 23 ottobre 2006

LEZIONI LOGISTICHE

Girare dieci città americane per un *book-tour* è divertente, ma massacrante. Un mattino ho conversato amabilmente al telefono con una sveglia automatica, credendola una persona; il giorno dopo ho sbattuto il telefono in faccia a una persona, credendola una sveglia automatica.

È bello però muoversi nella pancia di un Paese, e vedere come funziona: le strade e gli aeroporti, i *diners* e i caffè, i giornali e la radio, la stupefacente, consolante ripetitività delle camere d'albergo: stessi telecomandi, stesso wi-fi (sia benedetto), stessi cuscini, stesse finestre sigillate, stesse macchine del caffè, stesse cameriere che non parlano inglese, stesso vocabolario (le spese extra si chiamano *incidentals*, e quando si esagera richiedono il carro attrezzi). L'America non è quella che, mal consigliata, s'è impantanata in Iraq; è questo formicaio organizzato, che emette un ronzio piacevole.

Scrivo da Yale, piazzata come un'albicocca nel grigiore di New Haven (Connecticut). È una delle migliori e più ricche università del mondo (18 miliardi di riserve investite, 23 per cento di ritorno annuo sul capitale!). Non c'ero mai stato prima. È una fantasia goticheggiante che ricorda Hogwarts, la scuola di Harry Potter: ci sono anche le torri del *quidditch* e il bunker di Voldemort (la sede di Skull and Bones, la società segreta cui appartengono i due Bush e John Kerry). Qui il formicaio è colto, e le formiche giovani, instancabili e atermiche: a qualsiasi ora, dietro ogni vetro, c'è una ragazzina con le infradito china sul computer, attaccata a Internet.

Sono queste le cose che colpiscono gli italiani: anche quelli che le sanno già. L'America è brusca, tosta, enorme: ma ti mette nelle condizioni di giocarti la partita. La logistica nazionale – trasporti e telecomunicazioni, amministrazione e informazione, commercio e ristorazione – è semplice e formidabile. Uno può perdere il lavoro, negli Stati Uniti: ma non perché c'è uno sciopero dei treni e poi non riesce a mandare un'email.

A questa semplicità i connazionali trapiantati in America – da cent'anni o da dieci mesi – non sanno rinunciare. Ne conosco a migliaia, dopo trent'anni di viaggi. Del Paese che hanno lasciato rimpiangono l'intuizione, la capacità d'improvvisazione, l'imprevedibilità. In vacanza, però. Nella vita quotidiana tutto questo diventa stancante.

In Italia avremmo bisogno di Usa: Ufficio Semplificazione Assoluta. Ma non lo apriremo. Ogni difficoltà quotidiana – il negozio chiuso, la procedura bizantina, l'aereo in sciopero, la prenotazione impossibile, il wi-fi che non c'è, la ricevuta che non arriva, il docente introvabile – risponde agli interessi o alle pigrizie di qualcuno. Ogni progresso italiano richiede una rivoluzione, e ogni rivoluzione scatena una reazione: del gruppo, della lobby, della professione, del partito, del sindacato. Nessuno in Italia ha tanto potere da cambiare tutto; ma tutti ne hanno abbastanza per impedire che qualcosa cambi.

61ª Pizza Yale, 24 ottobre 2006

Stop eating Italian food. Smettete di mangiare italiano. Smettete di santificare chiunque abbia un cognome che finisce in vocale, e scrive libri di cucina. Smettete di assalire le pietanze con un bazooka travestito da tritapepe. Smettete di ordinare «fettuccine Alfredo» e «linguini Primavera», per favore.

Non vale solo per gli americani, anche se sono i peccatori più volonterosi. Vale per tutti gli stranieri: dicono d'amare il cibo italiano, ma spesso ne incoraggiano la parodia. Il successo planetario della nostra cucina è dovuto alla sua semplicità, alla sua imitabilità, al fatto d'essere salutare ed economica. Queste caratteristiche, unite alla diaspora degli ultimi centocinquant'anni, hanno portato la nostra tradizione in tutto il mondo. Entrate in qualunque *business hotel* e troverete due ristoranti: uno francese, con un nome come La Clé d'Or: elegante, caro e semivuoto. Uno italiano, chiamato Da Gino o qualcosa del genere: colorato, a buon mercato, allegro e affollato.

Non mi disturba il fatto che i «ristoratori italiani» nel mondo siano spesso greci, turchi o slavi. L'imitazione è una forma di adulazione. Non mi offendo se, in un buon libro, leggo bizzarre teorie («Il cibo italiano è cibo di città; campagna e contadini non c'entrano.» John Dickie, *Delizia! The Epic History of the Italians and their Food*, 2007). Mi disturba, invece, la violenza quotidiana su alcune tradizioni che dovrebbero esser sacre. Dogmi, non oggetto di trattative.

Girando il mondo per lavoro, ho visto cose che voi umani (non italiani) non potete immaginare. Insegne con tricolori rovesciati, sbiaditi, invertiti. A Singapore, a Dubai, a Mosca e qui a Dallas ho assaggiato ovvietà maldestre spacciate come colpi di genio a una clientela cui potresti piazzare una gondola su un pezzo di carne e chiamarlo «fegato alla veneziana». A Londra, ho incontrato giovanotti arroganti che, dopo essere stati in tv, mettono un nome italiano al locale, e pensano di darcela a bere. Ad Auckland sono entrato in un noto ristorante con un nome impubblicabile, neppure nel decennale dello scandalo Lewinsky.

Ma questi sono aspetti folcloristici. L'attacco al cibo italiano è più insidioso perché involontario: i sabotatori agiscono, infatti, per amore. Ne ho parlato coi ristoratori italiani negli Usa: da Maccioni a Cipriani a Tony Mei. Giorni fa anche con Lidia Bastianich nel suo ristorante Felidia a New York. Mi ha spiegato che è un problema di tecniche e ingredienti: le prime si dimenticano, i secondi diventano introvabili o costosi. «Presto il legame con la cucina italiana diventa legame con la tradizione italo-americana. È un processo incestuoso, ma comprensibile. E non va deriso.»

La spiegazione mi aveva quasi convinto. Poi ho scoperto che perfino la leggendaria Bastianich, a richiesta, serve cappuccino dopo cena. Blasfemo, le ho detto. «Provi lei a rifiutarlo ai clienti», ha risposto. D'accordo, Lidia, accetto la sfida. Una sera vengo e ci provo. Punirne uno per educarne cento.

***

Quando ho detto *Let's go and have lunch in Italy*, non ci volevano credere. *Lunch* in Italia? Impossibile. Ma non è stato difficile: 44 miglia da Dallas, un'ora d'auto verso sud. Eccola lì: Italy, Texas.

Primi insediamenti, guarda caso, nel 1860. Il nome gliel'ha dato nel 1880 il direttore dell'ufficio postale della vicina Waxahachie, convinto che il clima somigliasse a quello dell'Italia. L'alternativa era Egypt. Poi qualcuno avrà fatto notare la mancanza di un fiume adatto.

Ho appuntamento col sindaco Frank Johnson: nero, monumentale, quindici fratelli («Undici maschi, quattro femmine: stesso padre e stessa madre»). Un passato nei supermercati Walmart, è al quinto mandato: guadagna 1,54 dollari al giorno (un euro). Vuol portare Italy da 2000 a 6000 abitanti. Per questo ha urbanizzato i terreni lungo la highway, investendo cinque milioni di dollari («Ci hanno detto: arriva il boom, tenetevi pronti. E noi siamo pronti»).

Sul muro dell'ufficio una cartolina di Venezia, una foto di un edificio in fiamme, un'immagine della casa più costosa del paese e una figurina autografata dal cugino, Keith Davis dei Dallas Cowboys (molto noto: nel 2006 gli hanno sparato mentre guidava). Dietro la scrivania, un ritaglio di giornale. Parla del nonno, John Farrow, *Texas' First Negro Mayor*, il primo sindaco nero del Texas. E sotto: «Ma un sindaco bianco ha il diritto di veto su ogni decisione».

La popolazione di Italy è metà bianca, un quarto nera, un quarto ispanica. Per le primarie s'è votato nella Wayne Boze Funeral Home, la camera mortuaria, fortunatamente libera. A Italy va forte la destra, proprio come in Italia. La città voterà per altre cariche, compreso lo sceriffo della contea. Tra i favoriti Steve McKinney, che compare sui manifesti con la stella, la cravatta e la pistola. Se lo vede Umberto Bossi, s'innamora.

L'unica democratica in circolazione è un'anziana signora, Bobby Thompson. Racconta di un ragazzino italiano, introdotto clandestinamente negli Usa nel 1946 dal cognato, militare americano. Lo conoscono tutti come «Little Johnny»: è l'unico italiano di Italy, è diventato milionario, ma non vuol parlare di sé.

Il ritrovo della città – il migliore, in quanto unico – è l'Uptown Café, dove servono il toast più unto del Pianeta. Niente birra: Italy è una «città asciutta» (*dry town*) battista. Ma il sindaco Johnson vuole un referendum: questi Italians dovranno decidere se diventare una *wet town* (città umida).

Qualcuno ha sognato, per Italy, anche un futuro turistico. Sandy, che lavora al bar, ha preparato le magliette: uno stivale da cow-boy e lo stivale della Penisola si fronteggiano. Mai venduta una: di turisti italiani a Italy, infatti, non se ne sono mai visti. Mi sento in dovere di acquistarne tre, ma Sandy insiste per regalarmele. Ricambio con una spilla tricolore. «Consideralo un gemellaggio», le dico. Poi le domando: chi è il primo ministro in Italia? «*No idea*», risponde.

Risposta esatta, Sandy: alla vigilia di un'altra elezione, anche noi abbiamo le idee confuse. Non ci dispiacerebbe però somigliare a Italy, Texas: boom in arrivo, infrastrutture pronte, amministratori pagati un euro al giorno. Cow-boy e banditi, invece, li abbiamo già.

77ª Pizza Dallas, 1° marzo 2008

Europa

LA PROTOPIZZA

Cari Italians,
ricordate l'idea che girava qualche tempo fa su «Italians» di
portare il nostro Severgnini fuori a Londra per una pizza?
Well, *sembra che si possa fare presto, verso metà ottobre,*
quando Beppe sarà da queste parti per lavoro. Per sapere
dove prenotare devo però — incredibile ma vero! — sapere
quanti siamo. Scrivete a me personalmente e vedremo come
organizzare il tutto; cercando, in linea di principio, di evi-
tare che la pizza degeneri in una frittata. Riusciranno i no-
stri eroi? Lo scopriremo (forse) nella prossima puntata.

Claudia Arena

Cara Claudia,
approfitto della tua lettera per mettere un po' d'ordine in
questa faccenda delle «Pizze Italians» (le chiamiamo così?).
Diciamo subito questo: sono lusingato, ma vagamente
preoccupato. Dopo che ne abbiamo parlato sul forum,

sono fioccati gli inviti. Se li accettassi tutti (da Oslo all'Australia, da Parigi a Seattle, da Toronto a Bruxelles), dovrei stare in giro un anno (anzi: quattro stagioni). Tornerei in uno stato pietoso: occhi da carciofino, magro come un'acciuga e con una moglie capricciosa (perché si chiama Ortensia, e io la chiamerei Margherita).

Detto ciò, l'idea è interessante. La pizza costa poco, si trova in tutto il mondo ed è un bel simbolo italiano: buona, semplice, salutare e popolare. Procediamo, quindi. Oltretutto, mi sembra giusto che lettori/scrittori speciali come voi abbiano la possibilità di conoscersi e di conoscermi. Ma non si può fare tutto subito, ovviamente. Quindi, direi: cominciamo a Londra lunedì 18 ottobre; a seguire New York, in novembre (vi farò sapere il nome dell'organizzatore). Poi, se funziona e ci divertiamo, possiamo proseguire, in occasione di miei viaggi all'estero. Per l'Italia, invece, studieremo altro. Dubito che ci siano pizzerie abbastanza capienti per contenerci tutti.

Questo è quanto. Ah, dimenticavo: la pizza sarà londinese, ma si paga alla romana.

***

Cari Italians,
per quelli di voi che non hanno avuto il piacere di una Pizza Italians, qualche ragguaglio da una che c'era, anche se c'erano altre novanta persone (i miei sono ancora convinti che abbia mentito, e si trattasse di una cena a due con Beppe, ma perché sono un po' megalomani). Serata veramente divertente, che ha dato un volto a molti nomi: uno per tutti, il mitico Jo Strada, musicista con bandana. Bsev, da parte sua, è una prevedibile scoperta, nel senso che è uguale a come te lo immagini: dice spesso «roba» (questa roba qua, quella roba là), muove le mani, è identico alla sua caricaturina e – come di-

rebbe mia mamma – «non si siede composto» (nel senso che ogni tanto mette una gamba sotto il sedere).
Questo della «Pizza Italians» è l'unico esperimento che conosco di spostamento dal piano virtuale a quello reale, che finisce bene. Finora tutti gli amici che mi hanno detto «Ho trovato la donna della mia vita su Internet!» e sono andati a conoscerla, non si sono più ripresi. Mentre credo che tutti ieri si siano ripresi benissimo. Ottima idea, insomma. Beppe, fatti sentire quando ripassi per Londra! Ciao a tutti gli altri,

Caterina Rigoni

Cari Italians,
sono uno dei partecipanti alla mega-pizzata organizzata lunedì sera a Londra con il Dott. Cav. HM Beppe Severgnini. Credo sia stata una bella serata ed è stato interessante scambiare quattro parole con qualcuno che ha almeno un punto in comune con gli altri convenuti. Non solo l'essere italiani, ma il condividere, almeno a grandi linee, una certa esperienza di vita, sia in termini di evoluzione personale che di formazione lavorativa. Credo che uno dei motivi per presenziare alla serata sia stata la curiosità nei confronti degli altri Italians. Si è infatti scoperto che dietro ad un indirizzo email esistono anche visi, mani, piedi, etc. Quindi, persone. Tra l'altro, simpatiche. Perché non dare un seguito a iniziative del genere?

Maurizio Grilli

E poi c'era Beppe, con il suo impermeabile, in fila all'ingresso della pizzeria con tutti gli Italians. Stefania Michelotto ricorda: «I tavoli erano disposti come in un film di Harry Potter, il tavolo di Bsev in fondo alla sala e tutti gli altri di fronte». Silvia Viceconte: «L'emozione di vedere in volto altri lettori che, come me, si ritrovavano tutti i giorni su "Italians". E la

sensazione di far parte di una generazione che aveva fatto una scelta di vita lontana da casa, pur restando innamorata (quindi, spesso delusa) dell'Italia». Alberto Pravettoni: «Ricordo l'apprensione di Beppe per l'esito della serata, e la sua sensibilità nell'ascoltare storie, emozioni ed impressioni di un drappello in viaggio. Credo che il forum "Italians" sia un orecchio più che un altoparlante. Bene così».
A un osservatore attento non poteva sfuggire lo scambio fittissimo di fogliettini, agendine e business cards *che passavano in sala. Ognuno aveva un background e un'esperienza particolare. Beppe girava da un tavolo all'altro facendo domande a tutti sulla città italiana di provenienza, settore di lavoro e intenzione di permanenza in Uk. Per molti di noi rimane un mistero se sia riuscito a toccare cibo. Poco importa, si vedeva che era contento. Come noi, del resto, gli* Italians of London.

Giancarlo Pelati

Ciao Beppe,
un paio di curiosità sulla pizzata a Londra: avete riempito tutto il locale? Avete pagato alla romana? La tua pizza è stata gentilmente offerta o hai contribuito al saldo del conto? Hai salutato personalmente tutti i convenuti? Di cosa avete parlato? Ma soprattutto, come eravate disposti a tavola? Tavoli distinti, tavolone rotondo stile Camelot con te al posto di Artù, tavolata nuziale ad U con Bsev al posto degli sposi, tavolata lunga tipo Ultima Cena con te in mezzo? Per favore, regala a tutti noi curiosi (non credo di essere l'unico) un resoconto dettagliato.

Marco Castagnetti

Caro Marco,
avrai letto le lettere che sono uscite in questi giorni sul forum: la pizza, apparentemente, non è stata una pizza (in-

tendo dire: non è stata noiosa). Vuoi la mia impressione? Eccola. Non soltanto siamo finiti in un bel posto (Kettner's a Soho: pareti in legno, finestre sulle luci al neon); non solo i camerieri (italiani) hanno capito che eravamo una strana comitiva e hanno collaborato (poi si sono appassionati, e sono rimasti durante la discussione). La cosa interessante – come ha scritto Caterina – è vedere una comunità virtuale che si trova in carne, ossa, cravatte (poche), collane (qualcuna) e bandana (una, John Strada). E scopre che, in fondo, non siamo poi diversi dalle cose che scriviamo (alla faccia di tutti quelli che dicono che Internet è un covo di matti).

Non era ovvio: potevamo trovarci insopportabili. Invece ritengo sia stata una serata speciale, con cento persone intorno a un tavolo. Non tutti i matrimoni di amici e parenti sono così divertenti, come sappiamo. Un grosso merito va a Claudia Arena che, con l'aiuto di Francesca Pinto ha organizzato tutto, mettendo in pratica l'idea di Mister Puccetti (lo rifarebbe? È stata una faticaccia).

Sulle cose che abbiamo discusso – il senso di uno spazio come «Italians», la necessità o meno di un conduttore, il futuro dei giornali online – aspetto la testimonianza di qualcuno dei presenti (devo lavorare sempre io?), ma anche i commenti di chi non c'era. Oggi vorrei solo dire quanto sono stato contento di incontrare gli Italians di Londra. Dieci anni dopo il mio trasloco, e cinque anni dopo il mio sabbatico all'«Economist», sono esattamente quelli che immaginavo. E mi piacciono.

Un'età che comincia per 3 (di solito); duttili e tolleranti; curiosi verso il mondo e affettuosamente critici verso l'Italia; impegnati in una impressionante varietà di professioni. Se ci avessero messo su un'isola deserta avremmo potuto aprire una banca, eseguire un'operazione chirurgica, studiare i minerali, mettere in piedi una rete di telecomunicazioni, allevare bambini, consigliare chi è in difficoltà, vendere automobili, insegnare all'università, ballare e cantare, cucinare in un ristorante, progettare un computer, arredare un salotto, studiare i ritmi del sonno, importare giornali, tenere un concerto e scriverne la recensione.

Sulla questione del pagamento: abbiamo fatto alla romana (siamo italiani, no?). Poi il sottoscritto, preso dall'entusiasmo, ha detto: «Chi vuole bere ancora qualcosa, faccia pure!». Morale: oltre alla mia pizza, ho pagato 300 sterline, che il «Corriere della Sera» non mi rimborserà mai (e fa bene, così imparo).

1ª Pizza Londra, 18 ottobre 1999

I RAGAZZI DI BRUXELLES

Una delle tentazioni dei giornalisti – non la più pericolosa – è rappresentata dalle conferenze. Uno si distrae un attimo e si trova un microfono davanti alla bocca: a quel punto espira, ed è troppo tardi per tornare indietro. Succede, però, che alcune conferenze lascino un bel sapore. Spesso dipende dal pubblico, qualche volta dal luogo, altre volte dall'umore, da un episodio o da un ricordo.

Mi è piaciuto tornare, dopo vent'anni, a Bruxelles, nel posto dove ho cominciato a sognare il mio mestiere. Ricordo le passeggiate timide tra le zampe mastodontiche di palazzo Berlaymont diretto verso palazzo Charlemagne, quello del Consiglio, dove servivano bistecche superbe. Era l'autunno 1979: ero uno *stagiaire* ventiduenne, malpagato ma felice, con una tesi di laurea da fare, i capelli di un altro colore, un appartamento microscopico e una Fiat 127 color nocciola.

Gli *stagiaires* continuano ad arrivare alla Commissione,

per uscire di casa, annusare l'Europa e imparare qualcosa. Un paio s'erano imbucati alla mia conferenza – nessuno s'imbuca come uno *stagiaire* – e alla fine sono venuti a chiedermi: «Viene alla nostra festa, stasera?». Ho lasciato un numero di cellulare. Nel pomeriggio, un messaggio. «Il locale sta vicino al Parco del Cinquantenario. Intorno alle undici. La aspettiamo. Sarà un delirio.»

Sono andato e dico subito: eravamo più deliranti noi nel 1979. Gli *stagiaires* oggi sono più grandi, più titolati e – apparentemente – più posati. Ragazze e ragazzi italiani sono mescolati a tedeschi colti, spagnole sorridenti, greci scuri che studiano olandesi bionde. Milano e Roma, Catania e Padova, Pescara e Pavia: l'Italia che in Italia litiga, qui capisce di somigliarsi molto. Diversi vengono da un Erasmus – un programma europeo introdotto nel 1987, che prevede un periodo di studi in un altro Paese. Tutti sembrano contenti di essere lontani, liberi, con le chiavi di casa in tasca, il sabato mattina davanti e un lavoro che li aspetta il lunedì.

Li capisco, ma non glielo posso dire. Li invidio, ma è meglio che lo tenga per me. Li ammiro, in qualche modo: hanno una bella luce negli occhi, più chiara dei lampioni umidi di Bruxelles. Arrivano qui e sono italiani, svedesi, inglesi e polacchi: vanno via e saranno europei. So che può sembrare orribilmente retorico, ma è vero. State sicuri che questi ragazzi non diranno stupidaggini su altri popoli, non coveranno risentimenti nazionali. Vedranno le differenze, che ci sono: ma le apprezzeranno e ci giocheranno, sapendo che insaporiscono la torta dell'Europa.

Gli *stages* alla Commissione e il programma Erasmus sono i soldi meglio spesi dall'Unione Europea. Sono un modo di costruire consuetudini, e reti di conoscenze: vent'anni dopo, i miei migliori amici in Europa sono quelli delle serate di Bruxelles. Erasmus e *stages* sono formidabili strumenti contro l'intolleranza. Sono convinto che, davanti a certe affermazioni xenofobe, non serve protestare. Bisogna mettere in mano allo sciocco di turno una Samsonite e un biglietto aereo. Vada, veda. Quando torna, non ripeterà le stesse stupidaggini.

Dico queste cose per me e per voi, naturalmente. I ragazzi di Bruxelles le sanno già, e le tengono nel cuore.

3ª Pizza Bruxelles, 9 febbraio 2000

VECCHIA ITALIA PER NUOVI RUSSI

«C'è un altro Paese al mondo dove il governo controlla la televisione? Dove i padroni dei media fanno politica e certi giudici pure? Dove qualcuno s'è approfittato delle privatizzazioni, molti evadono le tasse e nessuno sa quali leggi bisogna rispettare?», tuona il deputato della regione del Volga. «Be', io ne conosco uno», gli rispondo. Lui si blocca e mi fissa attraverso gli occhiali squadrati, si aggiusta la maglietta gialla, poi dice: «Davvero?».

Sono sorpresi, gli allievi della Moscow School of Political Studies, di sapere che la Russia non ha il monopolio dei problemi del mondo; e ascoltano. Fondata nel gennaio 1992 – l'Unione Sovietica appena tumulata, la nuova Russia nata da pochi giorni – la scuola è un corso intensivo di democrazia. Un tentativo di insegnare come funziona una società civile: settant'anni di comunismo e dieci di confusione non sono serviti, da questo punto di vista. Quattro volte l'anno, una cinquantina di parlamentari, amministratori e giornalisti – età media, trentacinque anni – vengono invitati a trascorrere una settimana con ospiti provenienti da tutto il mondo. Alla fine, si ritrovano un diploma da appendere al muro e, probabilmente, molte idee confuse. Ma le idee confuse sono meglio delle idee sbagliate o di nessuna idea. In Russia come dovunque.

Siamo a Golitsyno, regione di Mosca, in quella che era la tenuta dei principi Golitsyn e poi è diventata la casa di vacanze di qualche sindacato di regime. Un posto dove l'idea di «giardino tropicale» è dieci piante verdi dietro una vetrata, e un cerchio di poltrone in similpelle. I corridoi sono immensi, le camere spartane, i telefoni prototecnologici, e la televisione parla solo russo. I seminari durano undici ore (dalle nove del mattino alle otto di sera). Ogni giorno, si alternano cinque «esperti» stranieri (così ci chiamano), ognuno dei quali affronta gli sguardi di chi ha attraversato quattro fusi orari per sentir parlare dell'«importanza della proprietà privata per la libertà e il diritto» e del «ruolo della società civile nella lotta alla corruzione».

L'anima della Moscow School of Political Studies si chiama Lena Nemirovskaya. È una signora moscovita dalle idee chiare e dai capelli azzurri, che dirige la sua creatura con un piglio tra il caporale e la *dezhurnaja* (le donne che, piazzate ai piani degli alberghi, facevano funzionare perfino la vecchia Urss). Lena sceglie i partecipanti, apre e chiude le sessioni, regala agli allievi un sorriso e agli ospiti statuette di terracotta che non supereranno mai l'aeroporto di Sheremetyevo (questione di fragilità, non di dogana).

A lei, e al suo entusiasmo, obbediscono accademici britannici e banchieri russi, ministri polacchi e storici americani, ambasciatori brasiliani e giornalisti italiani. Tutti sfruttati e tutti contenti, perché hanno l'impressione di servire a qualcosa. Prendiamo il mio caso. Ho tenuto un seminario sulla corruzione, ho promesso una conferenza su Internet, scriverò un articolo per la rivista della scuola e ho passato quattro giorni a parlare di come vanno le cose a Vorkuta. Tutto ciò, gratis. Chiunque convinca un giornalista a fare qualcosa del genere, deve avere grandi qualità.

La Moscow School viene sostenuta e finanziata da diversi organismi internazionali: dall'Unione Europea alla Carnegie Corporation of New York, passando per istituti britannici, svedesi e tedeschi. I soldi servono a pagare viaggi e soggiorno dei partecipanti russi e degli ospiti stranieri, che sono caldamente invitati a volare in classe economica.

Eppure vengono, e difficilmente rimangono soltanto per il tempo del proprio seminario. Spesso si trattengono due o tre giorni, ascoltano, discutono, piluccano cetriolini col deputato di Rostov-sul-Don e bevono birra Baltika servita da ragazzone in minigonna e camicia traforata, che ancheggiano alla russa, parlano poco inglese e sorridono solo il venerdì.

Il passatempo serale consiste in un gioco coordinato dal sociologo Alexander Sogomonov, un folletto barbuto che salta per la stanza come il Tigro di Winnie the Pooh, indossando una maglietta con la faccia di Einstein. Ai partecipanti vengono assegnati ruoli diversi. Alcuni diventano gli «oligarchi» dell'economia, i Berezovsky e i Gusinky arricchiti con le privatizzazioni di Eltsin. Altri sono gli uomini di Putin, e rappresentano il Cremlino e i servizi di sicurezza. Altri ancora impersonano magistrati e giornalisti. Al via, tutti accusano tutti, con un entusiasmo che ricorda la realtà al di là della porta a vetri, oltre le betulle e le dacie dei nuovi ricchi, alla fine delle strade grandi e intasate che da Golitsyno portano a Mosca. In russo, sembra di capire, si litiga benissimo.

Dopo il «gioco di ruolo» – che gli stranieri possono seguire in cuffia grazie all'interprete, se hanno ancora energie – gli allievi tornano al ristorante per il tè. Poi, intorno alle undici di sera, si dividono. Alcuni si incamminano verso una piccola isba nel bosco, e bevono birra sgranocchiando pesce salato. Il deputato della Duma di fianco al consigliere di Stavropol', che da due giorni si aggira con una maglietta della Juventus; la graziosa attivista di Mosca davanti al parlamentare della Carelia, il quale racconta come gli americani offrano soldi alla regione affinché apra discariche per le scorie nucleari, ma a lui non sembra una buona idea.

Chi non si ritira nell'isba, resta nella scuola e gioca a «Mafia». Mi avvicino, e cerco di capire. Una ragazza di Pskov – le donne parlano spesso un po' d'inglese, gli uomini sorridono e chiedono soccorso – mi illustra le regole. Funziona così. Si distribuiscono bigliettini ai giocatori. Quattro di loro saranno «la mafia», uno «il maniaco», un altro «il commissario»: nessuno sa degli altri. Poi si chiudono gli occhi. Mafiosi e maniaco scelgono le vittime, indicandole in silenzio al regista del gioco (un monumentale deputato di Krasnojarsk, un Giuliano Ferrara siberiano in perenne polemica col governatore, generale Lebed'). A quel punto tutti riaprono gli occhi, e cominciano a discutere. Da quello che dicono, e da come lo dicono, il commissario deve individuare i colpevoli.

Richard Pipes, storico di Harvard e autore di una celebre storia della rivoluzione russa, si avvicina affascinato: ai tempi di Lenin, lascia intendere, questo non accadeva. Io ascolto, e mi accorgo che il poliziotto viene chiamato «commissario Cattani». La mafia, quindi, è italiana. Protesto: mafiosi e maniaci, dico ai russi, non vi mancano. Che bisogno avete di prendere i nostri? Loro rispondono: è vero, ma ormai abbiamo cominciato il gioco così.

Sono transitati più di mille allievi in otto anni, alla Moscow School of Political Studies. Come scolari antichi, arrivano, siedono, scrivono e ascoltano. Poi alzano la mano, commentano, chiedono. Talvolta le domande sono di un'ingenuità disarmante, ma spesso sono acute e opportune. Gli ospiti occidentali che frequentano la scuola – perché qui la gente torna, con allegro masochismo – raccontano che, i primi tempi, ogni domanda era un'orazione e ogni commento un comizio (stile Gorbaciov); ora non più. Oggi all'ex Attorney General degli Stati Uniti, Richard Thornburg, chiedono come si conduce un'indagine sugli appalti; ai banchieri inglesi, con quale criterio concedono i prestiti. E nessuno sembra infastidito, quando la discussione si fa brusca; molti, anzi, danno prova di prontezza. Quando Fareed Zakaria, direttore della rivista «Foreign Affairs», ammonisce che «la Russia rischia di diventare la Nigeria» (ufficialmente democratica, praticamente disastrosa), qualcuno commenta che una differenza resterà sempre: il clima.

Servirà a qualcosa «coltivare le élite russe disperse nell'immensità del territorio», come scrive «Le Monde»? Probabilmente, sì. I partecipanti hanno incarichi, vicende, idee politiche diverse, ma sono potenziali riformisti. Sanno che esiste un altro modo di fare le cose. Il futuro della Russia passa da loro: un sindaco onesto e un legislatore capace sono moltiplicatori di democrazia e, per l'Occidente, questa è una forma di investimento. Il motto della Moscow School è *Sapere aude* (Osa ragionare), e questi giovani uomini e donne danno l'impressione di provarci. Se non altro, mostrano di capire che la democrazia non è soltanto un'idea, ma una tecnica che si può imparare.

E questo, qui in Russia, potrebbe non piacere a qualcuno.

6ª Pizza Mosca, 28 luglio 2000

PIZZA E RELATIVITÀ

Cari Italians,
giovedì sera si è svolta a Berlino la PPP (Prima Pizza Prussiana), presso la pizzeria La Rustica. Quartiere Mitte, ex Berlino Est. I partecipanti erano bene assortiti, c'erano veri Italians da quasi tutte le regioni d'Italia, qualche Italian di passaggio, studenti, letterati, professori universitari e maestre

elementari, architetti, diplomatici (con e senza cravatta), qualche consulente che non manca mai, filosofi che sembravano fisici, fisici che sembravano filosofi, una ballerina classica e una splendida cantante lirica che sembrava proprio una cantante lirica.

Beppe si è diviso in venti per chiacchierare con tutti, è curioso e vuole conoscerci; nonostante questo ha trovato il tempo per insegnarci un po' di «milanese moderno» (social skills e attention getting non sono più un mistero per noi). L'occasione è riuscita perfino a trasformare un riservato fisico teorico in un intrattenitore di successo: a fine serata lo abbiamo ritrovato che usava la teoria della relatività generale per intrattenere un gruppo di graziose Italienerinnen.

Insomma, un vero avvenimento per tutti noi che, invidiosi della protopizza a Londra, aspettavamo la pizza di Berlino per conoscerci, scambiare due chiacchiere e anche utilissime informazioni. Un grazie di cuore a Laura Lelli J. Masah per l'organizzazione e la simpatia. E naturalmente grazie a Beppe, lui sa perché.

Martina Catozzo

Ti ringrazio, Martina, donna-con-la-valigia (venuta apposta da Francoforte, diciamolo). Sono contento di essere tornato a Berlino, e ancora più contento che tu abbia apprezzato i miei sforzi. Li faccio volentieri, sia chiaro; ma il pranzo di nozze, al confronto, è stato uno scherzo. Alla fine ero cotto più della pizza con rucola. È andata bene, direi. Siete persone in gamba, e mi ha fatto piacere conoscervi. E poi non avevo mai visto nessuno usare la teoria della relatività generale per conoscere le ragazze. E funziona! È proprio vero: gli Italians sono pieni di risorse.

8ª Pizza Berlino, 12 ottobre 2000

Liverpool, hotel Adelphi. L'atrio è sontuoso come in una villa aristocratica decaduta. Quando chiediamo dov'è la Pizza Italians, ci indicano un corridoio che porta a una scala a chiocciola. Sotto c'è una semplice pizzeria, ma con vista sulle cyclette della palestra. Sono immobili. L'utente medio dell'Adelphi, a quest'ora, preferisce la birra alla bicicletta.

Siamo una quarantina. Le tipologie: studenti, ricercatori, docenti, professionisti, un manager, una rockstar londinese, due o tre inglesi *italianised,* i *membri del consolato italiano e tre marmocchi cross-cultural. Ai tavoli ci si conosce, si discute di tutto, immancabilmente anche dei costumi inglesi, delle ragazze in camicia da notte di seta (e nient'altro!) che circolano con temperature sotto zero. Si parla anche di politica, ma senza sbraitare paonazzi. Parlare tra Italians vuol dire ascoltare.*

Quando tutti hanno finito la pizza, Beppe si alza e prende la parola. Speech improvvisato. Una decina di inglesi ignari ci guardano con facce da punto interrogativo, chiedendosi cosa stia predicando quel tale, e in quale arcana lingua. Alcuni Italians intervengono con commenti e domande (su Berlusconi, tanto per cambiare). Poi si canta Tanti auguri a te *per Floriana, organizzatrice della pizzata, che compie gli anni. C'è pure una torta al cioccolato.*

Che dire? Sono stato felice di esserci. Ora torno a studiare DirectX, se no il mio PhD se ne vola via. Saluti anche da Helen, decisa a imparare meglio l'italiano. Dice che non può ridursi col mal di testa ogni volta che conosce «i miei amici».

Marco Faldetta

Continuo io, Marco.

Alfredo Oliva, architetto napoletano, racconta d'essersi trasferito a Liverpool per amore. Ora lavora proprio qui, nel glorioso Adelphi, l'albergo degli addii transatlantici, dei grandi balli, delle veglie elettorali di Harold Wilson. È vestito di bianco rosso e verde, fa il pizzaiolo, sembra felice. Agli inglesi di quassù, nelle serate d'inverno, deve sembrare una fantasia mediterranea, un raggio di sole facoltativo nella pioggerellina obbligatoria.

Alberto Bertali, lombardo, dirige una fabbrica di elettrodomestici, e ha una teoria per spiegare il facile adattamento degli italiani nel Merseyside: «Gli *scouse* sono come i napoletani: grande senso dell'umorismo, svegli rilassati e filosofici, forse non i più grandi lavoratori del mondo».

Floriana Grasso, barese, insegna *Computer science* all'Università di Liverpool, e ha organizzato la Pizza Italians. Mi accompagna per la città di maggio e mi spiega perché Tony Blair, ancora una volta, vincerà: sostanzialmente, per mancanza di alternative. Anche lei sembra felice di questo esilio a nord-ovest. Andiamo in università, dove mi aiuta con la posta elettronica. Mi offre un *Chinese Chicken Sandwich* in mensa, e sopravvivo. Bello avere lettori così.

Ho conosciuto Liverpool nel 1984, e sono tornato più volte. Qui ho visto partite memorabili, rovine e ricostruzioni, capolavori e disastri, pazzi geniali e pazzi completi. Ho scritto articoli, pezzi di un libro; ho esplorato i saliscendi di Toxteth, ammirato lo stadio di Anfield e visto rinascere gli Albert Docks. Qui, nel 1985, ho scovato John Welsh: allo stadio Heysel di Bruxelles, in una serata schifosa, aveva estratto molti tifosi italiani dalla calca che stava per ucciderli. Abitava al numero 10 di Haylock Close, in una casa modesta piena di sciarpe dei Reds. L'ho accompagnato a Rimini a prendere un premio. Ora mi dicono che vive in America, chissà se sta ancora con Maria.

Qui ho ascoltato Maurice Packman, residente innamorato, che mi spiegava l'importanza dei traghetti; ho immaginato le partenze delle navi Cunard, ai tempi dell'impero; ho affrontato una telecamera alle sette del mattino cercando di vendere un libro; ho studiato le ragazze che sfidano il vento notturno in minigonna, a gambe nude, e non sanno spiegare perché. Alle otto di sera passano ridendo, occhi blu sotto i capelli scuri, un po' d'Irlanda che ha passato il mare. Alle tre di notte tornano, scarpe in mano e trucco sfatto, sciatte e irriconoscibili. Se gridassero meno, avrebbero la dignità di un esercito in rotta.

Non c'è dubbio. La vita sociale che ruota intorno a un'unica attività – bere – è un problema. Un problema talmente grosso che nessun governo britannico ha mai provato a risolverlo: sarebbe come se la monarchia nepalese pensasse di spostare l'Everest. Ma l'effetto è ogni volta sconvolgente, anche per chi conosce e ama questo Paese. Il venerdì sera non è più un appuntamento. È una religione, i cui sacerdoti sono i ragazzotti pelati e tarchiati messi sulla porta di bar, ristoranti e discoteche, per vigilare sul popolo alcolico.

La Gran Bretagna ha ancora molto da insegnare al mondo (in materia di concorrenza, onestà e *accountability*: chi comanda, deve render conto); mantiene settori d'eccellenza (dai media alla musica, dalle forze armate alla finanza); e Tony Blair è riuscito a ridare un po' di orgoglio alla sua *Cool Britannia*. Ma il Paese ha problemi seri. Lo ammettono gli stessi inglesi. Cinque anni fa Will Hutton, col libro *The State We're In*, diventò l'ideologo della rivoluzione blairiana. Oggi sostiene che la Germania produce, investe, lavora di più e meglio. «Nel Regno Unito abbiamo poveri che vivono in condizioni da terzo mondo, un quinto della popolazione è *illiterate*, i nostri servizi pubblici sono di terza categoria», ha scritto sull'«Observer».

Non vivo qui da anni, non posso dire se abbia ragione. Ma ascolto gli Italians di Liverpool dentro la pancia dell'Adelphi. Sono perplessi anche loro.

11ª Pizza Liverpool, 25 maggio 2001
12ª Pizza Manchester, 26 maggio 2001

Alcune città fanno venire buone idee, altre solo il mal di testa. Dublino è tra le prime. Negli anni Quaranta l'attore Noel Purcell cantava: «*Dublin can be heaven / With coffee at eleven / And a stroll in Stephen's Green*» (Dublino può essere il paradiso / Con il caffè alle undici / E due passi in Stephen's Green). È così. Basta andarsene in giro in centro, in un mattino feriale, per tornarsene con tre propositi, un progetto e due discrete intuizioni.

Dublino, se avete la fortuna di incrociare il sole, brilla. Brillano le guance rosse dei bambini, gli occhi blu delle ragazze e le cravatte fucsia dei bancari diretti al lavoro. Brillano le luci sopra le porte la sera. Brilla la voglia di fare. Non è la città perfetta, questa. Ma Dublino, un tempo capitale povera di un Paese indigente, ha mosso passi da gigante. Quei passi che, purtroppo, Palermo e Napoli hanno rinunciato a fare.

Dublino è una città organizzata, un'impressionante concentrazione di giovani talenti stranieri; e, se non sono talenti, sono comunque nuovi e volonterosi, attirati dalla lingua inglese e da uno stipendio dignitoso. Lavorano negli uffici, nei bar, nei pub, nei ristoranti, negli alberghi, nelle società di servizi, nei call center: gli irlandesi hanno un'immigrazione giovane e industriosa, e se la tengono stretta. Quattro ragazze, durante la Pizza Italians organizzata da Marco Sonzogni, mi spiegano che la mattina dopo, in ufficio, dovranno presentarsi vestite da cuccioli dalmata. Perché no?

I nuovi arrivati apprezzano tutto di Dublino, salvo una cosa. Qui la gente beve troppo, ancora più che a Liverpool (anche se sembra impossibile); e non ha intenzione di ridurre. Nell'Unione Europea, solo ungheresi e lussemburghesi bevono di più. Ogni anno 13,3 litri di alcol puro a testa, sufficienti per riempire 120 piscine olimpioniche.

L'alcol è responsabile di un altro primato, quello degli *one-night stands* (avventure di una notte). Metà dei tradimenti viene attribuita all'alcol (*booze*). Qui lo sanno e ne parlano. Una nazione cattolica e loquace – in un campionato mondiale, gli irlandesi se la giocherebbero con russi, israeliani e italiani – discute della questione, senza imbarazzo.

Un'altra tentazione, più inoffensiva: Dublino provoca nei visitatori italiani strane pulsioni culturali. Arrivano sognando la bruna Guinness, e si ritrovano a parlare di Samuel Beckett. Vogliono un maglione, e si ritrovano al Trinity College, com'è successo a me. Cercano un ristorante, e s'imbattono in una statua di Oscar Wilde (in Merrion Square, ce n'è una dove lo scrittore sembra Hugh Grant dopo una notte di bagordi). Alcuni seguono le orme sfuggenti di Leopold Bloom, il protagonista dell'*Ulisse* di James Joyce. Il libro non l'hanno letto, in genere; ma si ripromettono di farlo. Intanto, però, esplorano i pub di Joyce, i marciapiedi di Joyce, le ventitré case dove Joyce abitò (solo Garibaldi, in Italia, fu altrettanto ubiquo). Alla torre di Sandycove, dove inizia il romanzo («Solenne e paffuto, Buck Mulligan comparve dall'alto delle scale...»), rischiano di commuoversi. Poi passa.

I dublinesi non ci fanno caso. L'incredibile cortesia della città, e la sua freschezza, non mancano di stupire il visitatore più cinico. Metà della popolazione ha meno di venticinque anni. Ai giovani irlandesi, come dicevo, vanno aggiunti i coetanei italiani, spagnoli, tedeschi e francesi che le multinazionali hanno spedito qui. Dal giovedì al sabato sera un'orda di ventenni si riversa nei locali di Temple Bar e nei pub intorno a Grafton Street, mentre all'Horseshoe Bar dello Shelbourne Hotel, i dublinesi con qualche anno (e molti soldi) di più commentano i fatti del giorno col bicchiere in mano.

Se volete farli felici, sparlate bonariamente degli inglesi.

Vi riempiranno d'affetto e whiskey. A fine serata sarete in grado di citare il grande Seamus Heaney e scatenare un applauso.

No, non è un giocatore di rugby.

14ª Pizza Dublino, 23 ottobre 2001

PIZZE E POLITICA

Caro Beppe,
è stato un piacere conoscerti di persona in occasione della 15ª Pizza di Zurigo. Vorrei tornare su un punto sollevato in quella circostanza: il futuro del forum «Italians», che compie tre anni. Tu hai illustrato diverse possibilità: chiuderlo, prima o poi; passare la mano a un altro conduttore; diversificarlo con nuovi temi; introdurre nuovi spazi e nuove formule (fotografie, blog, recensioni, concorsi). Tutte soluzioni apprezzabili, che coinvolgeranno tanti Italians. Ma, di fatto, statiche. Non rispondono, secondo me, alla frustrazione di tanti di noi.
Mi spiego. Le novità della rubrica sono state la tua disponibilità (e quella del «Corriere della Sera») al confronto; Internet che l'ha reso possibile; e la fascia d'età dei partecipanti − gente giovane, come s'è visto alla pizzata. I temi, tuttavia, sono quelli di sempre: il disagio dell'italiano all'estero; le difficoltà del ritorno in patria; la migrazione forzata di tante belle teste; la mancanza di senso civico degli italiani, incarnata dai rappresentanti politici; l'esterofilia, che io interpreto come desiderio di una patria di cui non vergognarsi. Io ho già cinquantun anni, e provo un senso di impazienza di fronte a tutte queste lettere, perché vuol dire che niente è cambiato da quando ho lasciato l'Italia, ventisei anni fa. Vuol dire che nulla cambierà.

Quindi: il forum «Italians» può essere lo Speakers' Corner *italiano sulla rete, dove chiunque può dire la sua e poi va a casa, contento d'essersi sfogato; oppure deve diventare più incisivo e impegnato. Tu hai riserve, mi pare di capire: temi di deludere i lettori/scrittori, dare loro l'impressione di essere usati. Ma perché non chiederlo agli stessi Italians?*

Certo, potrei anche semplicemente smettere di seguire il forum; forse, come dice mio figlio diciannovenne, «non ho più l'età». Però mi dispiacerebbe.

Chiara Tyndall

Innanzitutto grazie, Chiara, per l'impeccabile organizzazione della «pìzzera» (pizza svizzera), poi simpaticamente invasa da una classe di studenti d'italiano figli d'italiani (quanti eravamo alla fine? Cento? Sono curioso di vedere il servizio della televisione svizzera girato quella sera). Grazie anche per la domanda, degna del tuo nome: chiara.

Dove andiamo, ora che abbiamo tre anni? Ci ho pensato più di quanto immaginiate. Questo forum è stato per me una sfida, e un impegno: ogni giorno, gli dedico alcune ore. Bene così: sono felice dei risultati del progetto «Italians». Non è soltanto – come hai ricordato – un modo nuovo di abbinare Internet e giornali. Non solo ha riunito, nel mondo, tanta gente interessata all'Italia; e, in Italia, tante persone curiose del mondo. «Italians» è diventato un luogo sociale sulla rete e, in questo modo, è servito a dar voce alla nuova diaspora professionale, e al suo odio-amore per l'Italia.

Trasformare questa comunità in un gruppo di pressione? Se anche le cause fossero ottime, credo sia pericoloso: rischieremmo di diventare un movimento o un partito. Sono sicuro che qualcuno presto userà Internet in questo modo: ma sarà un capopopolo, non un giornalista. Penso che voi, gli Italians, siate troppo indipendenti, eterogenei e navigati per accettare una svolta del genere. Meglio tenerlo com'è, il forum, tirando fuori un'idea ogni tanto.

Oppure, come ho detto a Zurigo, potremmo smettere: questa è una possibilità che dobbiamo sempre tenere presente. Sono convinto, infatti, che le rubriche e i forum (sulla carta, sulla rete) debbano chiudere prima di sapere di muffa. Per ora «Italians» manda, ogni giorno, un profumo fresco. Ma teniamo il naso al vento, perché non si sa mai.

15ª Pizza Zurigo, 6 novembre 2001

DOVE I BAMBINI NON CONGELANO

Cari i miei Italians,
la 16ª Pizza Italians a Helsinki è cosa fatta. Il posto con nome anglo-francese, cuoco napoletano, cameriere bolognese e padrone calabrese era lo stesso dell'ultima volta, quando ci siamo trovati tra noi. Ma qualche piccola differenza l'abbiamo notata: la temperatura era ben più mite, di soli 3 gradi sotto zero; Severgnini si è materializzato di persona, e non attraverso un telefonino poggiato sul tavolo; e la serata è stata dominata da due mini-Italians: Ludovico, impassibile, ha aspettato che finissimo la nostra discussione per la strada, ben attento che il poliziotto di turno non gli arrestasse i genitori per omessa custodia; e Sami che, sornione, si è goduto tutta la pizza in grembo alla mamma prima di fare il suo ingresso nel mondo.
Sono cambiati in questo anno gli Italians di Finlandia? Sicuramente sono cresciuti, in numero e in esperienza. La crisi ha colpito duro, ma loro, persi o no, sono ancora in piedi. Molti sono leggermente infastiditi dal pensiero della prossima invernata, e diversi sono ormai rassegnati a mangiare gli «spagetti» senza l'acca e la pizza con ananas e aurajuusto.

Soprattutto, ed è preoccupante, quasi nessuno di loro crede che l'Italia li possa accogliere così come ha fatto questa piccola, grande nazione. In cui anche una piccola minoranza come la nostra – 790 residenti, di cui 612 maschi, percentuale ineguagliata tra le altre comunità straniere – ha un grande peso economico, culturale e soprattutto sociale. L'Homo Balticus da oggi ha una nuova sottospecie: l'Italian-Italians, che resiste alla neve, beve vino durante i pasti, lavora nelle telecomunicazioni e non manca di apprezzare le bellezze locali. Ma ora vi ho annoiato. Speriamo che stasera non nevichi troppo, che almeno possiamo andare a prendere una pizza.

Alessandro Maccari

Alessandro «Turbo» Maccari – bizzarra combinazione di eccentricità e affidabilità, prodotta solo in Toscana – mi aveva proposto «una Pizza Italians alla renna», quando fossi tornato a Helsinki. Non era un modo di dire: fettine dell'ottimo animale stavano nel mio piatto, al posto del solito prosciutto. Mi sono piaciute, sia la pizza sia l'occasione. Ho scoperto cose interessanti. La prima: la Nokia ci ha portato via un sacco di belle teste laureate, e mi sa che dobbiamo pure ringraziarla. La seconda: le Italians fidanzate/sposate con i finlandesi sono parecchie (non come gli Italians finnipnotizzati, però). La terza: è possibile – anzi, è legale – lasciare i neonati fuori dai ristoranti, all'aperto, d'inverno. Spettacolo meraviglioso, quello del piccolo Ludovico, sette mesi, parcheggiato sul marciapiede, che dormiva beato sottozero. Fossimo stati in Italia, come hai scritto, mamma Antonella sarebbe stata arrestata per abbandono di minore, e la Pizza Italians verrebbe considerata la riunione di una pericolosa setta.

16ª Pizza Helsinki, 17 novembre 2001

Adesso ho capito perché non amo far parte delle giurie. Perché occorre scegliere qualcuno, e può succedere che meritino in molti. Da questo punto di vista, «20-02-2002, un mercoledì da italiani» è stato una tortura. I vincitori sono sette, ma sono arrivati cinquemila racconti. Almeno cinquecento erano ottimi, migliaia erano buoni.

Gli italiani, non c'è dubbio, sanno raccontarsi. Questa è stata una sorpresa, gradita e commovente. Mercoledì 20-02-2002: questa giornata normale, nonostante l'unicità del palindromo, è stata descritta da migliaia di connazionali sparsi per l'Italia e per il mondo (da Milano a Buenos Aires, da Pechino a Montreal, da Helsinki a Città del Capo). Una gigantesca Polaroid di parole che, per molti, è già diventata una piacevole ossessione. Navigate il planisfero del concorso (www.corriere.it/20022002/home.cfm). Vedrete come migliaia di italiani hanno saputo fotografare una giornata con trecento parole. Non era facile, ma ci sono riusciti.

Andate a leggerle, quelle spettacolari istantanee, quei piccoli/grandi racconti di vita. Fossi uno sceneggiatore, un narratore o un editore passerei intere giornate, su quel planisfero. Nei racconti c'è una freschezza che manca in tanti romanzi e in molti film. C'è una lingua croccante, piena di neologismi e priva di affettazione. C'è la vita quotidiana, l'unica che conta. La vita che ci sorprende e ci consola, ma di cui spesso non riusciamo a cogliere la bellezza e la tenerezza.

Questi connazionali ci sono riusciti. Moltissimi iniziano dal mattino. «20-02-2002, un mercoledì da italiani» è una sinfonia di sveglie, una processione di turni in bagno, una litania di colazioni e bimbi assonnati. Poi arrivano le occupazioni normali, le abitudini, i timori, le gioie e le sorprese. Ma, come dicevo, c'è di più. C'è l'adulterio nella notte di Mosca, il blues dell'autotrasportatore Milano-Zurigo, il sacerdote che smoccola nel traffico di Taiwan, l'italiana in Canada che pensa al gatto chiuso nell'armadio, il surfista neofita terrorizzato dall'oceano davanti all'Australia.

I racconti dall'Italia non sono da meno, anzi. I migliori dimostrano la capacità di trovare poesia o ironia nella normalità. C'è il disincanto del papà disoccupato a cinquant'anni, per cui la giornata si riduce alla lettura del giornale e alla passeggiata col cane; la rassegnazione dell'impiegato che va all'aeroporto a ricevere il capo che lo licenzierà; la gioia di due amiche a letto a raccontarsi la vita; le ansie delle mamme che lavorano e dei papà che stanno a casa (o viceversa); la malinconia del ragazzo lombardo tenuto sveglio dalle attività della sudamericana al piano di sopra («La sciura Maria, del quarto, dice che è una ragazza di vita. Io preferisco la versione ufficiale: maestra di tango»).

Potrei andare avanti a citare e a raccontare. Ma non è il caso. Andate voi, a scoprire le gemme prodotte da «20-02-2002, un mercoledì da italiani». Noi possiamo solo dire che l'esperimento ha superato ogni aspettativa. Abbiamo voluto usare Internet per quel che serve: avvicinare la gente, e allargare lo sguardo. Siamo stati premiati. Ai sette vincitori, solo un invito in pizzeria. Pizza Italians, eccezionalmente in Italia. Lo meritano.

20ª Pizza Milano, 6 novembre 2002
(per i vincitori del concorso 20-02-2002)

ARRIVANO GLI ITALIANSONLINE

Cari Italians, caro Beppe,
dalla 21ª Pizza Italians a Parigi è nato www.italianson-

line.net, dedicato a tutti i nuovi italiani residenti all'estero, e a chi è interessato all'Italia. Il sito già si è collegato con quello degli Italians in Olanda. Presto il contenuto olandese sarà integrato nel nostro, anche se sarà aggiornato localmente. L'idea è che attraverso il portale ci si possa incontrare, aiutare a trovare casa, sapere dove vedere le partite di calcio, trovare una bicicletta a 15 euro ad Amsterdam, darsi appuntamento sugli Champs de Mars (o al Parque del Retiro, o in piazza Dam) per giocare a calcetto, e via dicendo.

Abbiamo in programma un «Italians' Spring Party» a Parigi: appena troviamo una péniche *che non affonda e non costa uno sproposito, ve lo comunichiamo. Chiaramente dovete iscrivervi (ci vogliono venti secondi: nome, nascita, email, città). Promettiamo che riceverete solo messaggi che vi farà piacere leggere. Il resto sarà nella bacheca degli eventi, nel forum, o magari in chat. Se volete saperne di più, scriveteci.*

Matteo Rizzi

Caro Matteo,
grazie della lettera e della notizia. «Italiansonline» mi sembra una buona idea, un modo di aiutarsi a vicenda e divertirsi (una cosa non esclude l'altra). Me ne rendo conto: sul forum di Corriere.it c'è spazio soltanto per dodici lettere al giorno, e molte questioni – contatti, incontri, richieste di informazioni e di aiuto – si affrontano meglio localmente (una forma di sussidiarietà?). Durante le venti Pizze Italians questo mi è apparso chiaro. Quindi: bravi. Aggiungo: «Italians» non è «il sito di Beppe Severgnini», ma un luogo della rete dove il sottoscritto e il «Corriere della Sera» cercano di rendersi utili. Se da cosa nasce cosa, tanto meglio.

A costo di sembrarvi ingrato, in questa fase di big bang della Galassia Italians, vorrei però mettervi in guardia. Un sito così ambizioso potrebbe farsi tentare da avventure commerciali e/o politiche. E questo – voglio essere chiaro – NON verrà accettato.

Non fraintendermi, Matteo. So che sei il papà di questa bella iniziativa partita da Parigi (insieme a Massimo, Federico e Daniele: età media, trentun anni). So che le stai dedicando tempo ed energie. Non stai facendo nulla di male, anzi stai facendo bene, e io ti sono grato. Ma dobbiamo stabilire subito alcune regole. «Italians» è un luogo libero, gratuito e disinteressato. Così devono diventare i suoi figli.

21ª Pizza Parigi, 6 febbraio 2003*

Il bello di questi incontri

Giovedì 3 aprile si è tenuta la 22ª Pizza Italians a Vienna. Non ho ancora letto qui alcun commento, mentre di solito tutti si precipitano a raccontare. Vorrei quindi fugare eventuali sospetti che questa pizza mitteleuropea sia stata un fiasco. Una quarantina di Italians hanno mangiato una pizza non malvagia, fatto nuove conoscenze e qualche amicizia e, come pare accada sempre, cominciato a ignorare Beppe dopo un'oretta. È stato sentito bofonchiare: «È il bello di questi incontri...».
Dopo averlo conosciuto posso affermare: tipo interessante, questo Severgnini! Parla in pubblico e zittisce gli interventi a

* Scrive Matteo Rizzi (settembre 2008): «In cinque anni www.italiansonline.net è diventato una grande rete internazionale. Quarantamila gli iscritti attivi (viene cancellato chi non si connette da sei mesi); settantacinque le sezioni collegate, ognuna corrispondente a una città del mondo; 4500 gli eventi organizzati dal 2003 (incontri, feste, pizze informali, partite di calcio, aperitivi, eventi culturali). Opportunità di lavoro e di studio, ricerca di alloggio, suggerimenti, nuove conoscenze: queste le motivazioni che spingono molti giovani italiani all'estero a frequentare il sito. La promessa è stata mantenuta: "Italiansonline" è gratuito e accessibile a tutti, e continua a vivere grazie all'entusiasmo di tanti italiani nel mondo».

sproposito con ironia e consumata maestria (prevedibile). È
amichevole e ci tiene a scambiare due parole con tutti (noto).
Si riempie le tasche di biglietti da visita, fogli e foglietti con
numeri di telefono ed email promettendo di mettere in ordine
appena torna in albergo (credibile?). Risponde al cellulare
chiedendo «Chi è?» come al citofono (intimidatorio). Incassa
con garbo i commenti sul suo modo di porsi (sorprendente).
Odia i maglioni a losanghe colorate, specialmente quelli gialli
(sacrosanto). È capace di visitare la stessa mostra di Munch
due volte in tre giorni, per una permanenza complessiva di
venti minuti (curioso). Prende nota senza pietà quando gli si
fornisce un'idea per un pezzo (imbarazzante): aspetto con an-
sia quello sulla postura delle ragazze innamorate al cellulare.
Grazie a tutti quelli che hanno partecipato, a Luca che ha orga-
nizzato, e ovviamente a Beppe, che ha reso possibile tutto que-
sto. Un saluto speciale a Elke, medico e finalista di Miss Italia.
Non dimenticheremo facilmente questo week-end surreale.

Monica Mel

Neanch'io, ragazze: ci potete giurare.

22ª Pizza Vienna, 3 aprile 2003

BENVENUTI TRA NOI

Il Palazzo della Cultura e della Scienza (*Palac Kultury i Nauki*) sta antipatico ai polacchi in genere, e ai cittadini di Varsavia in particolare. Terminato nel 1955, è un mastodontico regalo dei sovietici, che dieci anni prima avevano aspettato, sulla sponda destra della Vistola, che i nazisti demolissero la città. Talvolta però le cose odiose sono belle, e il Palazzo della Cultura è magnifico. Anzi: mozzafiato. Uguale a sette costruzioni di Mosca, oggi domina Varsavia rinata.

Dove nel 1945 c'erano 20 milioni di metri cubi di macerie, oggi brilla una città nuova. Dall'alto, sotto le nuvole che arrivano di corsa dalla pianura, si vedono gli alberghi all'americana coi ristoranti italiani, le strade piene di auto tedesche e i parchi dati in gestione a una società francese. A nord si stendono i tetti rossi della città vecchia, i vetri color rame dell'Hotel Victoria, la piazza chiara, gli uffici azzurrini dell'architetto Foster. A chi l'ha conosciuta in bianco e nero negli anni Ottanta, Varsavia sembra una città a colori. Come se la storia avesse deciso d'arrivare qui col telecomando, migliorando decisamente le trasmissioni.

L'ultima, com'è noto, è europea. L'entusiasmo dei giovani polacchi per l'ingresso nell'Unione è un sollievo: siamo a casa, è fatta. Molti, tra gli adulti, si rendono conto che la Polonia era più indietro (come istituzioni, servizi e conti pubblici) rispetto a Ungheria e Repubblica Ceca: volendo essere realisti, avrebbe dovuto aspettare, prima d'entrare nella Ue. Ma ogni tanto bisogna aver il coraggio di non essere realisti. La riunificazione tedesca è avvenuta così, la fine dell'Urss anche. Due scommesse di Helmut Kohl e Ronald Reagan (con Mikail Gorbaciov). Vinte entrambe, alla faccia dei profeti di sventura.

Dicevo: qui a Varsavia la soddisfazione per l'ingresso nell'Unione è palpabile. È proporzionale all'istruzione, però. L'ascesa imperiosa di Andrzej Lepper e del movimento Samoobrona (Autodifesa) è avvenuta tra le fasce basse della popolazione, spaventate ad arte. Ho capito, stando qui, che il personaggio preoccupa. È vero, Lepper è da tener d'occhio: uno che guida l'assalto agli allevamenti di polli per protestare contro la Ue sarebbe un inquietante capo di governo. Ma nel suo populismo c'è qualcosa di già visto: pressappochismo alla Zhirinovsky condito di retorica alla Bossi, per intenderci. Potrebbe non succeder nulla, insomma.

Il primo ministro Marek Belka, che comunista non è, mi spiega così le lamentele che s'ascoltano: «Il comunismo era un tempo senza preoccupazioni». Il cambiamento, invece, mette agitazione (ai contadini polacchi come ai dirigenti arabi, ai borghesi inglesi come alle corporazioni italiane). Ma la maggioranza dei polacchi – dice Belka – non ha dubbi. Ha ragione: la cosa evidente, qui a Varsavia, è la determinazione condita di leggera incoscienza. È questo che piace agli italiani, quando arrivano quassù.

Erano in quaranta, martedì sera in pizzeria, i connazionali che seguono «Italians» su Internet. Li guardavo e li ascoltavo. L'umore di un Paese è sempre epidemico, e quest'aria di cambiamento li aveva contagiati. Se gli americani un tempo correvano a ovest per trovare opportunità, gli italiani oggi vengono a est per trovare stimoli: un mercato nuovo o manodopera meno cara, un lavoro diverso o gli occhi di una ragazza (spesso, queste cose insieme). Di sicuro, la nuova Europa a colori gli appare eccitante.

Il Veneto intasato di capannoni e il Piemonte affollato di ricordi sembrano lontani. Il Mezzogiorno delle occasioni mancate è un altro Pianeta. Ecco perché giovani piemontesi e ragazzi calabresi salgono fin qui. Ecco perché non mi sono stupito quando, all'aeroporto, ho incrociato Mario Moretti Polegato, il «signor Geox», che correva trafelato con moglie e figlio al traino (arrivava da Bratislava, passava da Varsavia e andava a Vilnius, o viceversa). Non mi sono stupito perché i veneti sono i texani d'Italia: sanno sempre dov'è la frontiera.

***

Dai quarantacinque anni in su, gli esseri umani tendono a guardarsi indietro; e se hanno la possibilità di raccontare quello che hanno visto, lo fanno. Questo diverte e consola i coetanei, ma spesso annoia i giovani ascoltatori, che s'ostinano a considerare l'orizzonte più affascinante dello specchietto retrovisore. Anche la strada alle spalle, tuttavia, può essere interessante. Se non altro, aiuta a capire dove siamo arrivati. Il problema è descriverla. Non è facile. Si rischia di fare come quelli che hanno viaggiato in posti bellissimi, e torturano gli amici con brutte diapositive.

Si spiega anche così, credo, l'accoglienza tiepida che i giovani italiani hanno riservato all'ingresso di dieci nuovi Stati nell'Unione Europea. A chi ha meno di trent'anni la faccenda appare – lo capisco – una formalità burocratica. Ma chi ricorda il 1989, e l'Europa dell'Est prima d'allora, non può non essersi commosso (brevemente, privatamente). A me, per esempio, è accaduto. Ero emozionato, tornando a Varsavia.

Ai giovani lettori, dico: cercate di capirmi. Quando ci sono stato la prima volta, nell'estate del 1982, avevo una motocicletta metallizzata: adesso ho i capelli, di quel colore. In Polonia c'era la legge marziale: un nome avventuroso ma un concetto sfuggente, per un italiano nato negli anni Cinquanta. Il regime comunista, dopo l'arrivo di Karol Wojtyla a San Pietro, mostrava le prime crepe. Prima di partire, con gli amici, guardavamo le fotografie che arrivavano da lassù – scioperanti barbuti, poliziotti legnosi, preti tostissimi, generali con gli occhiali scuri come pop-star – e restavamo a bocca aperta. A ovest c'era l'America, ma a est stava la luna.

Siamo entrati dalla Slesia e siamo usciti da Stettino, passando per Cracovia, Varsavia e Danzica. Durante il viaggio abbiamo scoperto un popolo gentile e orgoglioso, loquace e piacevolmente disorganizzato: i polacchi mi sono sembrati subito gli italiani del Patto di Varsavia. È successo di tutto, in tre settimane: discese in miniera e brindisi alla vodka, strade nella pioggia e digiuni compensati dagli occhi delle ragazze, poliziotti che prima caricavano la folla e poi ci chiedevano d'esser caricati in moto.

Quando sono tornato e ho raccontato a Montanelli come avevo passato le vacanze, mi ha detto che gli sembrava una cosa talmente assurda da diventare interessante: e mi ha ordinato di scriverla sul giornale. L'ho fatto, sperando d'avere presto altre occasioni. Siccome le occasioni non arrivavano, qualche tempo dopo ho chiesto di condurre un'inchiesta sulle «nuove generazioni nel socialismo reale» (Polonia, Germania Democratica, Ungheria, Romania, Bulgaria). Stessa faccia di Montanelli, stessa risposta: se proprio ci tieni, provaci. Ci ho provato, e ricordo un nuovo bellissimo viaggio sull'altra faccia della luna.

Altri cinque anni, e sono tornato: le crepe erano diventate burroni. Nel 1989 il socialismo reale si rivelava per quello che era: una patetica burocrazia autoritaria. A Varsavia e a Budapest, a Berlino e a Praga crollava tutto: e lo spettacolo, vi assicuro, non era male. Per questo mi sono inventato un'altra inchiesta: ho deciso di offrire a una giovane moglie lo spettacolo dell'ultima estate del comunismo. Da Helsinki siamo scesi in treno fino a Istanbul: dal Baltico al Bosforo in tre settimane, via Leningrado, Vilnius, Varsavia, Berlino, Praga, Belgrado e Sofia.

Le visite, dopo il crollo del Muro e dei regimi, sono continuate. All'inizio degli anni Novanta ho finto di voler aprire un negozio di scarpe a Varsavia, per vedere come se la cavava la nuova burocrazia post-comunista (malissimo). Poi, in Polonia, non sono più tornato. Lo faccio adesso, ed è Unione Europea. Certo: mi sento un reduce, che è il sogno segreto degli italiani. Ma sono un reduce felice. La nuova Europa è una bella notizia, e di questi tempi ce n'è bisogno.

Andate a conoscerla, ragazzi. È croccante, sentimentale e un po' ingenua. Portatele una bottiglia di spumante italiano, come suggerisce il mio amico Timothy Garton Ash. Vi assicuro che c'è qualcosa da festeggiare.

24ª Pizza Varsavia, 18 maggio 2004

In Portogallo, come in Sardegna, il vento porta buoni profumi (arrosto ed eucalipto, mare, polvere e rose). I portoghesi, come i sardi, sono individualisti introversi e generosi. In Sardegna, come in Portogallo, finita l'estate (il torneo, la festa) rimangono i problemi di sempre. Non preoccupatevi: non intendo parlare di quel che aspetta Renato Soru, o dei conti pubblici portoghesi. Questo è un tentativo di ragionare sul calcio e le nazioni. Per questo, era bene aspettare che il pallone degli Europei 2004 si fermasse. Mentre rotolava, c'era di meglio da fare.

Prima considerazione. Anche se ha perso la finale, il Portogallo ha vinto l'Europeo. L'ha organizzato bene, e ha guadagnato due cose: stima e iscrizione definitiva al club della modernità (è uno di quei club che non conta niente, se ci sei dentro; ma star fuori è scocciante). Altrettanto importante: grazie ai rossoverdi di Scolari, il nazionalismo – che ha una cattiva reputazione, nella cultura portoghese – è diventato, di colpo, commestibile.

I portoghesi sono partiti col piede giusto: hanno infatti collegato il momento epico della loro storia – il periodo delle grandi scoperte – a Euro 2004. Operazione ovvia, forse; ma non inutile. Le cerimonie d'apertura e di chiusura avevano questo tema; e il pallone Roteiro ha preso il nome dal diario di bordo del Vasco portoghese (lui sì che ha avuto una vita spericolata).

La gente ha imbandierato le finestre, i famigliari e le antenne delle automobili, e ha cantato l'inno nazionale (senza fischiare quello degli avversari; noi l'abbiamo fatto, a Italia '90). Perfino la sconfitta finale è stata letta in chiave romantica-nazionale. *Triste fado...*, titolava il «Jornal de Notícias» sopra una struggente immagine di Rui Costa che s'allontanava a testa bassa, dentro un turbine di lustrini bianchi e blu che festeggiava la vittoria della Grecia.

Dettagli? Fino a un certo punto. La gente, quasi subito, ha cominciato a parlare di *auto estima*: una cosa di cui i portoghesi hanno un gran bisogno (di nuovo: come i sardi). Soprattutto in questi tempi di economia faticosa e politica incerta (dopo averli bacchettati col patto di stabilità, il primo ministro Barroso li ha piantati in asso per andare a Bruxelles a presiedere la Commissione). Dopo la finale, uno degli sponsor locali ha acquistato una pagina sui quotidiani per spiegare chi aveva vinto. C'era scritto, tra l'altro: *Ganhou quem ficou mais perto de saber o que é ser portugues,* «Ha vinto chi è stato più vicino a sapere cosa vuol dire essere portoghese». Non male.

La squadra di Felipe Scolari ha contribuito a tutto questo, senza dubbio. In un mese è diventata grande – che non vuol dire «straordinaria», vuol dire adulta. In un Europeo o in un Mondiale, infatti, allenatori e giocatori hanno il tempo di costruire la propria leggenda, o di demolirla (qualcuno informi Totti e Vieri). Figo – un nome e un dribbling che ogni ragazzino vorrebbe possedere – è stato memorabile, nei suoi sforzi (Olanda) e coi suoi limiti (la finale con la Grecia). Cristiano Ronaldo un mese fa era solo il sostituto di Beckham nel Manchester. Ora comincia a sembrarne il successore.

Un collega americano di «The New Republic», Franklin Foer, ha appena scritto un bel libro: *How Soccer Explains the World* (Come il calcio spiega il mondo). Fosse venuto a Euro 2004, avrebbe potuto aggiungere un capitolo. Dentro e intorno a quei nove stadi, infatti il Portogallo oceanico ha fatto pace col Portogallo europeo. Certo, qualche lavoro non è stato finito in tempo, qualche ingenuità nell'organizzazione c'è stata. Ma Lisbona è una città mozzafiato (forse perché resta imperfetta); e Porto ha stupito quelli che non la conoscevano. È un incrocio tra San Francisco, Genova, Praga e Napoli, e vale un viaggio.

Ripetiamolo, a stadi chiusi e a ritorni avvenuti. Finale a

parte, tutto il resto è andato bene, per questo piccolo fascinoso Paese, dove tante cose buone, ma raramente straordinarie (dalla musica alla cucina), producono una bellissima atmosfera che gli Italians lusitani hanno colto, e mi hanno saputo spiegare. Alla Pizza ci sono Matteo il fotografo e Marco lo studente Erasmus; c'è Maurizio, ingaggiato per annunciare negli stadi la formazione della nostra Nazionale (in perfetto accento campano); ci sono Fabiola e Laura, organizzatrici del nostro incontro. Tutti hanno capito tutto. E hanno fatto sì che capissi qualcosa anch'io.

25ª Pizza Lisbona, 29 giugno 2004

LA FORZA DI CAMBIARE

Di ritorno da Atene, proverò a spiegare perché l'Italia ha perso un'occasione: e non stiamo parlando dell'oro mancato di Federica Pellegrini (dite quel che volete: ma la medaglia d'argento è triste, come il mestiere di sottosegretario). Consentitemi, però, di partire da lontano.

Magari dalla bianca Atene, città unica al mondo. Sembra il risultato di un ammutinamento di geometri: non c'è una casa uguale all'altra, e sui tetti piatti brilla un museo involontario della tecnologia (parabole e serbatoi, antenne e pannelli solari). Questa città però non va giudicata col metro di Roma e Parigi, bensì con quello di Manchester e Milano, posti che hanno un fascino superiore alla bellezza. E Atene è fascinosa: non si discute.

Non solo. Arrivando dopo anni, ci s'accorge che qualcosa è cambiato: in meglio. Ci sono tangenziali nuove e parcheggi, architetture coraggiose e corsie preferenziali rispettate da tutti (miracoloso). Merito delle Olimpiadi, ovviamente. Sono costate molto – nessuno sa quanto, lo diranno più avanti per non guastare la festa – e incasseranno poco. Secondo alcune stime, gli incassi (diritti tv, sponsor, licenze) copriranno un quarto della spesa. Gli stadi vuoti? Prevedibili: in televisione si vede meglio, ed è gratis.

Fossi greco, tuttavia, non mi preoccuperei troppo: organizzare le Olimpiadi è come dare una grande festa per tantissimi invitati. Se i padroni di casa intendono far bella figura, la festa costerà molto (gli ellenici l'hanno capito adesso, i genitori delle spose lo sanno da sempre). Vampirella Angelopoulos ha fatto un buon lavoro (a parte il discorso della montagna durante la cerimonia d'apertura: lasci fare a chi se ne intende). Atene s'è fatta trovare pronta, dopo aver suscitato apprensioni; ed è chiaro che la gente vuole dimostrarsi affidabile, non solo simpatica ed estrosa. Nonostante alcuni errori e un po' d'eccessi, la nuova Grecia ha motivo d'essere orgogliosa. Ha compiuto un salto in avanti, infatti. E i salti delle nazioni sono più faticosi di quelli che faranno la Martinez e Fiona May.

La Grecia non è l'unico Paese ad aver saputo sfruttare un grande evento internazionale. L'ha fatto la Corea del Sud con le Olimpiadi del 1988 (lo so, ero là); l'ha fatto Barcellona con quelle del 1992, tirandosi dietro la Catalogna e la Spagna; l'hanno fatto Lisbona e il Portogallo: prima con l'Expo del 1998, poi con gli Europei del 2004. Non è solo una faccenda di impianti, infrastrutture e soldi spesi (sebbene sia anche una faccenda di impianti, infrastrutture e soldi spesi). È una questione di fiducia in se stessi: il grande evento come rito di passaggio, e stimolo per migliorare.

E l'Italia? Purtroppo non ha saputo sfruttare la sua occasione, i Mondiali del 1990. S'è comportata come la cicala della favola: illusa dalle spese pazze e dalla retorica trionfalista degli anni Ottanta, ha buttato soldi in stadi esagerati (Bari, e non solo), infrastrutture non finite (quelle stazioni di Roma!) e furbizie che è troppo triste ricordare qui. Italia '90 viene ricordata per le «notti magiche»: la solita fiammata emotiva, che ci lascia con gli occhi lucidi ma risolve poco. Ci hanno pensato la Finanziaria di Amato e Tangentopoli, dopo un paio d'anni, a riportarci sulla terra. Non eravamo cambiati: anzi.

Adesso arriva Torino 2006. D'accordo, sono le Olimpiadi invernali: col budget della cerimonia d'apertura di Atene (120 milioni, pare), in Italia organizzano una bella fetta dei Giochi. Ma non buttiamo anche quest'occasione. Perché di un'occasione si tratta: almeno per il nord-ovest, che da qualche tempo non se la passa bene. Diversi organizzatori sono in Grecia in avanscoperta. Hanno il quartiere generale a «Casa Italia», uno chalet di montagna piazzato nella zona nord di Atene (i piemontesi sono impagabili), e da lì partono per esplorare, imparare, comparare.

Ebbene: quando tornano, non lasciamoli soli. Il 2006 è vicino, e le autorità olimpiche internazionali già si preoccupano della freddezza con cui l'Italia e il Piemonte aspettano l'avvenimento. Cerchiamo di sfruttare le lezioni di greco. Il Paese di Dellas e della Callas partiva da più indietro: eppure ce l'ha fatta. Vogliamo essere da meno?

26ª Pizza Atene, 30 agosto 2004

ARIA DI EUROPA

È una scuola da otto miliardi l'anno: retta individuale, fuori i pasti. Ma in Turchia, si sa, con gli zero sono generosi: al cambio, il liceo italiano di Istanbul costa a ogni studente 4800 euro. Come molte nostre cose all'estero, la scuola appartiene a un'Italia che galleggia nel tempo, come un tappo in uno stagno. Porte laccate, svolazzi sui registri, soffitti alti, bidelli col grembiule, alunni con una parvenza d'uniforme. Bianca, dovrebbe essere: ma le cravatte dei ragazzi sono allentate, e le magliette delle ragazze sono corte e strette come a Milano. Sembrano gli attori di un musical, non giovani turchi sotto una fotografia del presidente Ciampi.

Scuole come questa sono i regali che la nostra emigrazione ha sparpagliato nel mondo. Il liceo italiano era la Regia Scuola Elementare e Media della Società Operaia di Mutuo Soccorso: la fondarono nel 1880 i nostri connazionali, che sul Bosforo venivano a cercar lavoro. Dal 1910 ammette anche studenti turchi, e fino al 1997 aveva anche la scuola media. Oggi ospita 380 studenti, ed è riconosciuta dai due governi. L'Italia è proprietaria dell'immobile e provvede agli stipendi degli insegnanti italiani. Con le rette degli studenti vengono pagati i professori turchi, e le altre spese.

Tom Tom Kaptan, si chiama la via. Quartiere di Beyoğlu. Un bel posto dove stare, mentre l'Unione Europea decide sul futuro della Turchia, e i turchi, come innamorati sospettosi, aspettano di conoscere il loro destino, per festeggiare o arrabbiarsi. I ventidue ragazzi della IV A hanno occhi svegli e lingua pronta. La professoressa, Patrizia Costa, li chiama «i miei bambini», ma sembra che Aykut abbia successo con le ragazze, Hamdi sia bravo e saggio, Ayca sogni d'andare in Francia e l'albanese Altina – che è piccola e carina – parli italiano come nessun altro.

Discutiamo per due ore. I ragazzi chiedono, spiegano, si entusiasmano. E protestano, per una varietà di motivi: perché in Europa non li vogliamo abbastanza, perché in Italia confondiamo i turchi con gli arabi. Un ragazzo racconta d'aver litigato con un amico italiano del padre che diceva: «I musulmani? Tutti uguali». Però quindici su ventidue progettano di venire a fare l'università nel nostro Paese; e quando pronunciano Milano e Firenze, Bologna e Pavia, gli s'illuminano gli occhi.

Penso: se la Turchia fosse questa, l'ingresso in Europa sarebbe facile. Ma la Turchia non è solo questa, e i ragazzi sono i primi ad ammetterlo. La Turchia è un grande Paese ancora povero: quattro turchi guadagnano come un italiano. La Turchia è una nazione popolosa: la più grande, quando entrerà nella Ue. La Turchia è uno Stato il cui governo se n'è appena uscito con la strabiliante idea di reintrodurre il reato d'adulterio femminile. La Turchia ha una tradizione che perfino qui – Istanbul, sponda occidentale – resiste al cambiamento. Una professoressa (italiana) del liceo è stata ripresa dalla vice preside (turca) perché portava la camicetta scollata sopra i jeans.

«Vorrei che i turchi – non i ragazzi, quelli sono magnifici – facessero qualche sforzo in più. Questa è una cultura che sa essere orgogliosa ma può diventare vendicativa», dice la preside-leonessa, Valeria Jacobelli, spedita qui dal ministero. «Gli studenti ci confessano che noi gli insegniamo a vivere, mentre i professori turchi gli dicono di stringere la cravatta», racconta Patriza Costa. Ma è chiaro che il lavoro piace a tutt'e due, perché si sentono donne di frontiera.

Hanno ragione. È questo e nient'altro, il liceo italiano di Istanbul. Un avamposto sul confine, ma qualcuno prova a convincere i turchi ad avvicinarsi all'Europa nel modo giusto: per l'orgoglio e il piacere di stare insieme, aiutandosi e rispettandosi. Certo: questa seduta tra i banchi – gambe troppo lunghe, occhi troppo svegli – è un'élite, figlia di una borghesia che può spendere otto miliardi l'anno per un figlio. Ma bisogna pur cominciare, e questo sembra il posto e il modo giusto.

Mi chiedo quanti sappiano, in Italia, che esistono connazionali come questi, alla frontiera. Anzi: mi chiedo quanti di noi abbiano capito che è questa, la frontiera.

27ª Pizza Istanbul, 30 settembre 2004

TORNO O NON TORNO?

Una bella famiglia, bergamasca e internazionale. Il papà, Gianni, lavora per una banca italiana e ama i Clash; la mamma, Mariella, è diventata un ingegnere dei traslochi; le figlie, Francesca e Camilla, cambiano scuole e compagni come le coetanee italiane cambiano vestiti. I Fiorendi sono stati a Lione, Nizza, Londra; vivono ad Amsterdam, andranno a Singapore. Ci incontriamo per caso lungo un canale, dove abitano; ci rivediamo la sera, in una delle Pizze Italians più affollate finora. Anche per loro, il solito dubbio: tornare o non tornare?

I residenti all'estero se lo chiedono tutti, prima o poi. Mi mancano le voci, i sapori, gli odori e i colori dell'Italia: rientro? Oppure rimango nel Paese che mi ha accolto? E se rimango, cosa saranno i miei figli? Europei, italo-americani, internazionali, oppure semplicemente confusi?

Il dilemma è continuo, comune e concreto. L'Italia che cent'anni fa esportava braccia oggi esporta teste. I numeri non sono gli stessi, e neppure i moventi. È uguale però il sentimento che unisce gli emigranti all'Italia: un misto di rimpianto, rabbia e rammarico. In patria ci azzuffiamo come oche nevrotiche. Passato il confine scopriamo che ci piace essere italiani, parlar la stessa lingua e condividere le stesse lamentele.

Le prove di questo atteggiamento – che dovrebbe far riflettere i nostri governanti, se trovassero il tempo tra un litigio e un dispetto – sono evidenti. Lo si capisce viaggiando per turismo: tanti stranieri, all'estero, vogliono riposarsi dal proprio lodevole civismo; noi italiani approfittiamo d'un viaggio per prenderci una pausa dal nostro estenuante individualismo. Lo dimostra, nel sesto anno, la salute robusta di «Italians»: è impensabile che i giovani tedeschi nel mondo si ritrovino in un sito della «Welt» chiamato «Germans». Noi invece ci cerchiamo. Magari per litigare, ma ci cerchiamo.

Scrive Carlo Santulli dalla Gran Bretagna: «Ogni tanto penso di tornare in Italia, ne parlo a casa con moglie e figlia. Ho condotto un sondaggio tra amici italiani: circa il 100 per cento ritiene che sì, gli farebbe piacere vedermi più spesso, ma... sarebbe meglio restassi dove sono. Qualcuno mi ha detto: tu magari tornerai, ma io vorrei scappare. Ma cos'è successo al nostro Paese? Crisi di sfiducia, o problemi oggettivi e di difficile soluzione? Si vive tanto male in Italia?».

La lettera è tipica, le domande classiche, le risposte difficili: soprattutto l'ultima. Direi questo: in Italia si sta bene. L'«Economist» – spesso severo con i nostri papocchi politici – compila la classifica mondiale sulla «qualità della vita» e ci mette all'8° posto. Precediamo Danimarca, Spagna, Singapore, Finlandia, Stati Uniti. Francia e Germania sono al 25° e 26° posto. L'«Economist» ha ragione: la gente qui è elastica e interessante, i modi piacevoli, i posti belli, il cibo buono, il vino pure. Il guaio – ed è un grosso guaio – è questo: molti aspetti della vita pubblica sono scadenti, e peggiorano.

A costo di sembrar semplicista, elenco alcune situazioni che gli italiani all'estero trovano intollerabili (ho migliaia di lettere per provarlo). Situazione politica mesozoica, classe dirigente latitante, familismo amorale (raccomandazioni, furbizie, scorciatoie ovunque). E poi: scarsa concorrenza, concorsi sleali, lobby ubique, stipendi ridicoli (molta «stagelemosina», in compenso). Ancora: difficoltà per le giovani madri (soprattutto nelle grandi città), invecchiamento delle infrastrutture (il «tratturo» verso Reggio Calabria, la comica tangenziale di Mestre). Infine: retorica consolatoria su problemi drammatici (uno per tutti: il Sud), giustizia lenta (otto anni per un processo civile!); risparmiatori abbandonati a se stessi; scuola schizofrenica (professori bravi e malpagati; ma anche molti zombie in cattedra).

Ecco: gli italiani all'estero che si sentono di affrontare/sopportare queste cose, tornino. Altrimenti restino dove sono, a pensare con rammarico a un posto bello, stimolante e pieno di gente affascinante. Che però si rifiuta di diventar grande. E s'arrabbia, se qualcuno gli fa notare i brufoli di questa infinita, irritante adolescenza.

28ª Pizza Amsterdam, 16 ottobre 2004

STORIE DI PERIFERIA

D'accordo che in periferia tutti vogliono sapere cosa succede al centro, ma l'eccitazione italiana per *Desperate Housewives* sembra francamente eccessiva. Disperate non sono le virago americane (quelle recitano); disperati siamo noi, che ci eccitiamo per quella simpatica sbobba d'importazione. L'America televisiva merita, spesso. Ma entusiasmarsi per *Twin Peaks* o *Happy Days* era da buongustai; celebrare *Desperate Housewives* è da imitatori. Se qui in Canton Ticino si nascondono degli adoratori di Wisteria Lane, per favore, non me lo dicano.

Comunque, confesso: bisticciare sul modernariato televisivo americano è consolante, se si considerano le alternative. Il resto del discorso pubblico – le cose per cui una nazione discute, ride, litiga o si preoccupa – in Italia è rivolto al passato. Comunismo, fascismo, revisionismo, terrorismo: siamo la repubblica degli «ismi». Un lettore napoletano, Donato Gervasio, scrive: «In Campania s'è scatenata una querelle sull'appoggio del Pci, negli anni Settanta, alle azioni di Pol Pot in Cambogia. Avvenne con la firma di un documento del comitato centrale al quale diede parere favorevole anche Antonio Bassolino, attuale governatore della Regione Campania ricandidato alla guida di palazzo Santa Lucia».

Uno legge e trasecola: ma in Campania non ci sono cose

più urgenti? Non si tratta di difendere Bassolino – che dovrebbe ritirarsi in buon ordine, viste le condizioni della regione – ma di concentrarsi sulle cose importanti. Certo, chi ha più di quarant'anni ricorda bene le stupidaggini che la sinistra diceva in quegli anni. Per qualcuno era questione di ignoranza, per altri di leggerezza, per altri ancora di cinismo. Non c'era solo la Cambogia: c'era il silenzio sul gulag, gli applausi per la Cina maoista e per quel bel tomo di Fidel Castro. Qualche sciocchezza – ammettiamolo – la dicevamo pure noi liberali, approvando sempre e comunque gli Usa (che in quegli anni, dal Medio Oriente all'America Latina, ne hanno combinate).

Ma ormai è andata. Ognuno si vergogni delle sue sciocchezze, e pensiamo alle cose da fare: ce ne sono tante, in Italia. Perché continuare a sbranarci? Sottoscrivere un documento di sostegno a Pol Pot è grottesco (c'è da sperare che non sapessero chi fosse); giustificare la violenza extraparlamentare era grave. Ma passati trent'anni, non è il caso di piantarla lì?

Neanche per sogno, invece. Siamo il Paese della memoria litigiosa. La nostra non è la saggezza di chi vuol guardare indietro per capire; il nostro è l'autolesionismo di chi rivanga il passato per aggredire. L'Italia dev'essere l'unico posto al mondo in cui la campagna elettorale del 2005/2006 si combatte su faccende del 1975/1976. Comunisti! Fascisti! Amici dei terroristi! Niente viene dimenticato e tutto continua ad agitarsi nella pancia della nazione. Digerire? Non sia mai.

L'Italia è diventato un Paese in cui tutti – l'omino che guida e i milioni che formano l'equipaggio – procedono con gli occhi nel retrovisore. È molto difficile andare lontano, in questo modo. E infatti siamo distanti dalla meta, che è quella di una pacifica democrazia dove si parla del funzionamento dei servizi, della priorità nelle spese o del servizio militare, come accade qui in Svizzera.

Non sottovalutate l'energia, la voglia, la fantasia e la serenità che vengono inghiottite da certe discussioni. Non dimenticate quanto avvelenano l'aria e complicano i rapporti. Lasciamo che siano gli storici a litigare su vicende di trenta, quaranta o sessant'anni fa. E pensiamo invece al futuro che ci sta scappando di mano: infrastrutture e ricerca, istruzione e commerci, energia e servizi, concorrenza e professioni. Alla Pizza Italians, qui a Lugano, c'era un fascinoso campione di emigrazione a breve raggio. Gente che si chiede: salgo ancora, oppure scendo? Non conosco la risposta, ma capisco la domanda.

31ª Pizza Lugano, 31 gennaio 2005

VELLUTO E NANETTI

Bella la 32ª Pizza Italians a Praga: non ce la dimenticheremo. È stato un momento molto simpatico, dove la comunità degli Italski si è ritrovata a mangiare le ottime pizze dell'amico Ezio. Grazie Bsev: sei riuscito nella non facile impresa di riunire, in un momento informale, la comunità italiana, italofona e italofila, che conta tanti ragazzi di belle speranze. Va detto a chi non c'era: sei venuto all'incontro in condizioni fisiche assai precarie, quindi il ringraziamento è doppio.
Aggiungo due parole su Praga, che non è affatto una città dell'Est come molti pensano (la geografia non mente). Si tratta di una capitale al centro dell'Europa, che sta recuperando, dopo aver sofferto per colpe altrui, quel ruolo che è stato suo per mille anni, fino al 1948. C'è un grande dinamismo, e non per niente nella Repubblica Ceca affluiscono tanti investimenti. Tra l'altro in Cechia le nuove generazioni vengono valorizzate molto più che in Italia. Sono tanti i giovani in posi-

zione-chiave (per esempio il premier e il vice premier hanno rispettivamente trentacinque e trentaquattro anni).
A Praga ti aspettiamo di nuovo. Lo so che le Pizze Italians non si ripetono, ma la Città Magica ha ancora tante cose da dirti. Per finire, grazie anche all'amico Giovanni della Pagina, che mi ha dato un'ottima mano nell'organizzazione.

Pierandrea Podda

Grazie Pierandrea. Quella sera, come hai ricordato, ero malconcio, e ho fatto quello che ho potuto (prima di chiudere la serata in un interessante pronto soccorso in collina). È stato bello tornare – in auto, da Vienna – nella città dove, nel 1989, ho vissuto la Rivoluzione di Velluto. È cambiata, ma riconoscibile. Mi accontento. Durante il viaggio ho anche scoperto la Centrale Europea dei Nanetti da Giardino, sul confine. Che sia stato quello ad avermi sconvolto? Tornando alla nostra pizza. Ottanta persone proprio non me le aspettavo. Bravo tu e grande «Italians»! Un'ultima cosa. Hai parlato di «ragazzi di belle speranze»: ti sei dimenticato le fanciulle di bell'aspetto. Le tue amiche morave, se venissero a una Pizza Italians a Milano, causerebbero problemi di ordine pubblico.

32ª Pizza Praga, 13 febbraio 2005

PRIMA LE VACANZE, POI LO STUDIO

I giovani italiani hanno le idee chiare: le chiamano infatti «vacanze-studio», non *study tours*. Prima le vacanze, poi lo studio: le precedenze sono chiare. Un ragazzo che finisce un anno di massacranti compiti a casa – con un po' di scuola nel mezzo – non è masochista. Se va all'estero, non ha intenzione di memorizzare liste di verbi. La lingua inglese preferisce allenarla con una coetanea francese, che ha un accento pessimo ma un sorriso bellissimo.

Perché ci dedichiamo all'argomento? Perché sono in Scozia; perché è tempo di decisioni familiari; perché la «vacanza-studio» è una delle cose che in Italia si fanno molto, ma di cui si parla poco (tutto il contrario del sesso). Le dieci settimane che vanno da metà giugno a fine agosto vedono impressionanti transumanze verso nord. Il fenomeno incide sul prodotto interno britannico e ha conseguenze per le altre nazioni. Due generazioni europee, dalla metà degli anni Sessanta, hanno messo il naso fuori di casa in questo modo.

Eppure, come dicevo, se ne parla poco. Ne scrive, ogni tanto, un settimanale ma la televisione non tratta la questione, come se riguardasse un'élite. Non è così. Milioni di teen-ager italiani sono stati prima sbolognati all'estero, e poi tempestati di telefonate («Stai bene, Valentina? Mangi?»).

Come veterano di queste partenze (Eastbourne 1972, Londra 1973, Edimburgo 1974), ed ex residente in Gran Bretagna, conosco le ansie delle famiglie. Vorrei risolvere perciò tre dubbi che frullano nella testa dei genitori («frullano» è la parola giusta: il cervello dei papà e delle mamme italiani, in queste occasioni, si agita come un Girmi).

Dubbio numero uno: «Mio figlio ha dodici anni. È presto per mandarlo in Inghilterra?». Risposta: è sempre presto per MANDARLO; in Inghilterra, se ha voglia, deve chiedere d'andarci lui/lei. È un premio, non un obbligo. Una vacanza, non una tortura. Personalmente ritengo sia meglio aspettare le superiori, perché la vacanza-studio diventa una scuola d'indipendenza (l'inglese segue). I ragazzini delle medie arrivano e vengono inevitabilmente blindati in un college: a quel punto, potevano restare a Monza.

Dubbio numero due: «Dove lo mando? Londra, resto dell'Inghilterra, Scozia, Irlanda, Malta, America? O in un *summer camp* in Svizzera?». Risposta: Malta è calda, l'America lontana, la Svizzera vicina, Londra dispersiva, e in Inghilterra d'estate ci sono più studenti stranieri che pecore. Confesso d'avere una predilizione per l'Irlanda e la Scozia: i ragazzi italiani si trovano sempre bene. I posti sono magnifici, lo spazio abbondante, il tempo bizzarro, la gente pure (ma è simpatica e aperta, e questo conta).

Dubbio numero tre: «Che organizzazione mi consiglia?». Risposta: basta sia seria. Il British Council ha un «programma di accreditamento» che garantisce la qualità delle scuole e dell'accoglienza (www.britishcouncil.org/it). Alcune organizzazioni operano da molti anni nel settore: evitate gli improvvisatori. Un suggerimento: non fatevi incantare dai cataloghi dove le ragazzine sembrano uscite da una pubblicità. Controllate i dettagli, e insospettitevi davanti alle super offerte. Il Regno Unito costa un terzo in più dell'area-euro.

Per riassumere: la vacanza-studio è quella cosa per cui i genitori studiano, e con cui i figli fanno le vacanze. Giusto così. Buona estate a tutti, e buon divertimento.

33ª Pizza Edimburgo, 17 marzo 2005
34ª Pizza Glasgow, 18 marzo 2005

EDONISTI E PAUROSI?

Caro Beppe,
mi sembra di capire che tu non abbia ancora avuto l'occasione di provare una pizza spagnola. Hai in programma di passare da queste parti? Io sarei felice di proporti una Pizza

Italians catalana da degustare qui a Barcellona, assieme alla
numerosa tribù di Italians che vive in questa bellissima città.
Siamo a poco più di un'ora di volo da Milano per cui orga-
nizzare una scappata non è poi così difficile. ¡Hasta pronto!
Vieni?

Andrea Paoli

Vengo. Anzi, torno. Barcellona mi piace: mare riconquistato, ottimismo sfrenato, aeroporto adeguato. Peccato
che la società catalana sia un po' chiusa – mi dicono – e il
nazionalismo finisca per diventare una distrazione.

Sono stato qui l'ultima volta nel febbraio 1999, per in-
tervistare Schumacher che provava non so quale nuova
Ferrari. Ma «Italians» a quei tempi aveva solo due mesi, e i
neonati non mangiano la pizza.

Rieccomi, quindi. Invece d'aspettare un'occasione professionale, ho trascinato la famiglia per un fine settimana
di scarpinate e scoperte. Anche per loro, Pizza Italians (finora Ortensia e Antonio hanno partecipato solo a quella
di Washington D.C., nel 2000). Organizza Riccardo Za-
nussi, sabato 23 aprile. «Sarà divertente» mi scrive «anche
perché a Barcellona quel giorno è San Jordi, la festa catalana degli innamorati. Gli uomini regalano rose alle
donne, e le donne libri agli uomini.»

Interessante, questa faccenda. Libri ne accetto sempre.
Uno, però, me lo sono portato dall'Italia. Un libro con un
titolo modesto, un bravo autore, una tesi discutibile e un
sottotitolo fascinoso, questo: «Tra edonismo e paura: il
nostro futuro brasiliano». Il titolo è invece *Fuori controllo*.
L'autore è Giuliano Da Empoli, che prende il toro italiano
per le corna: e non è facile, perché il metaforico bovino
nazionale è notoriamente sfuggente.

Qual è il destino di cui parla Da Empoli? Da un lato,
«edonismo e consumismo di massa, cura del corpo, reality

show e culto della fama, nuove credenze e spiritualità fai-da-te»; dall'altro, «paura e criminalità». E fin qui – purtroppo – non si può non essere d'accordo. Le ambizioni leggere di quest'Italia smarrita le vediamo tutti; l'aggressività generalizzata e le esplosioni di violenza, pure.

Da Empoli però va oltre, e scrive: «Fatica a nascondere il suo disgusto, l'intellettuale progressista, di fronte a questa passione istantanea e corporea, che rimette in discussione il fondamento stesso della sua identità: il culto del progresso e della razionalità». E poi: «La sua censura si abbatte su tutte le forme di effervescenza. In compenso, riserva la sua indulgenza ai fenomeni che popolano gli incubi di tutti i cittadini occidentali: terrorismo internazionale e criminalità urbana *in primis*».

Siate onesti: la tesi è ben congegnata (e ben scritta, che non guasta). Chi di noi non conosce l'intellettuale schizzinoso che ha in odio la modernità? Quello, per intenderci, che ama i ristoranti etnici e vuole l'immigrazione libera; ma di vivere in un quartiere-ghetto non ci pensa nemmeno. L'autore ha ragione anche quando scrive: «Incapaci di rispondere alle aspirazioni e alle preoccupazioni dell'opinione pubblica, le forze progressiste hanno lasciato che a dare le risposte fossero altri».

«Impeccabile interprete della brasilianizzazione» secondo Da Empoli «è stato Silvio Berlusconi, il quale ha saputo maneggiare gli ingredienti di base con la perizia di un carioca»: offrendo, sul versante carnevalesco, «l'immagine di un consumismo da sogno» e di un «narcisismo maniacale», «presentandosi come un membro dello star-system e giocando sulle grandi emozioni collettive (il calcio, il pathos televisivo)»; mostrando però un «volto rigorista» in politica estera, nella lotta alla criminalità, nella politica dell'immigrazione e nella lotta contro gli illeciti stradali (patente a punti).

Si potrebbe obiettare che il lato carnevalesco, al nostro

presidente del Consiglio, è riuscito meglio di quello rigorista: ma non è questo il punto. Il punto è un altro: alla sua diagnosi, l'autore non fa seguire alcuna proposta di terapia. Qui in Spagna l'hanno trovata: il Paese – da quanto mi dite, e vedo – sta facendo passi da gigante, e ad ogni passo la fiducia aumenta. E in Italia? È vero che non si può passare la vita con la faccia indignata (non serve a niente, e rovina la pelle); ma non sta scritto da nessuna parte che bisogna tollerare tutto. Lamentarsi dell'egoismo aggressivo non è da «intellettuali progressisti», caro Giuliano. È invece da persone di buon senso, preoccupate per la società che stiamo creando. Guardare sbigottiti quella parte (crescente) della nazione che sembra avere come unici valori «consumismo di massa, cura del corpo, reality show e culto della fama» non è da predicatori noiosi. È da italiani consapevoli che, al di là di tutto, per il carnevale sono finiti i soldi.

35ª Pizza Barcellona, 23 aprile 2005

CULTURA E MERCATO

Sole a picco sulla Prospettiva Nevskij, dove turisti carichi di pacchetti si scontrano con russi pieni di preoccupazioni. Le ragazze di San Pietroburgo guardano negli occhi: gli italiani si spaventano o s'innamorano. Un giorno i nostri architetti venivano qui a costruire regge e conventi; adesso arriva la Camera di Commercio di Bari a piazzare abiti da sposa, ma è dura. La Fiat ha messo in macchina l'Unione Sovietica; l'anno scorso ha venduto quattrocentoventi automobili in tutta la Russia. Nel mondo intero siamo assediati dal basso (i cinesi, gli indiani) e schiacciati dall'alto (tedeschi, americani, scandinavi). Bisogna inventarsi qualcosa.

Il nostro ministero degli Esteri ha ragione quando scrive che siamo una «superpotenza culturale» e «questa dimensione s'afferma sempre più come una componente fondamentale della nostra politica estera». Certo, «bisogna vendere l'aspirazione alla qualità della vita, bellezza, benessere, che distingue nel mondo lo "stile italiano"». Resta una domanda: come?

Rinunciando a proporci come un Paese avanzato? E perché mai? Una cosa non esclude l'altra. In Russia, per esempio, già esportiamo ingegneri milanesi che, a venticinque anni, costruiscono gasdotti per l'isola di Sakhalin; direttori d'orchestra baresi che tengono testa ai colleghi russi; slaviste siciliane che abitano in case dostoevskiane piene di rumori e pazzi. Siamo bravi in tutto, quando vogliamo. Siamo – credete a uno che ha girato – graditi dovunque. Perché siamo una nazione (ancora) ricca che ha conservato un talento dei popoli poveri: non guardiamo la gente del mondo. La vediamo.

La questione diventa: come usare questi talenti? Come trasformare questa capacità d'attrazione in un'offerta commerciale? Riempiendo di lussuosi negozi le vie pacchiane dei nuovi ricchi del mondo? Non basta. Bisogna inventarsi prodotti originali e impacchettare bene quelli tradizionali: come la lingua (che non è solo lo strumento della memoria, ma la lingua dell'arte, del piacere e degli affari). Per far questo, occorrono due cose. In patria, dobbiamo capire cosa sta succedendo là fuori; fuori, dobbiamo ricordare d'avere una patria, e imparare a lavorare insieme.

Continuo a leggere il documento del ministero: «Il successo della nostra azione dipende da una stretta collaborazione tra gli strumenti di cui dispone il ministero degli Esteri e quelli delle altre strutture pubbliche (quali il ministero per i Beni e le Attività Culturali, il ministero dell'Istruzione, dell'Università e della Ricerca, l'Ice, l'Enit, le

Regioni, gli Enti locali), e del settore privato [...]». Provate a fare i conti: sono dozzine di soggetti, che spesso agiscono all'insaputa uno dell'altro, o in aperta competizione (credevo che la guerra fredda fosse finita: finché non ho visto i rapporti di certi Istituti del Commercio Estero con alcuni consolati, e di alcuni consolati con certi Istituti di Cultura).

Giorni fa ero a Mosca per un convegno del British Council (250 uffici in 110 Paesi del mondo, 700 milioni di euro di bilancio). Anche gli inglesi litigano tra loro, ogni tanto. Ma riescono a lavorare insieme. Possiamo farlo anche noi (anche se abbiamo solo 89 Istituti in 60 Paesi). Basta non metterci a filosofeggiare se il vino è un prodotto commerciale o culturale. Perché altrimenti non lo promuove né l'Ice né l'Istituto, e poi parte la solita delegazione regionale, che arriva all'aeroporto e chiede dove sono le ragazze.

36ª Pizza San Pietroburgo, 23 maggio 2005

QUI SI VINCE O SI PERDE TUTTI INSIEME

A Napoli dovrebbero mettere una tassa sui commenti: chi arriva da fuori e tenta di spiegare quel che vede, paga. Una tassa leggera per le critiche frettolose, che vanno trattate con indulgenza: una città con un aeroporto quasi britannico, una metropolitana un po' tedesca e strade molto mediterranee dove i motorini corrono come in un videogioco, confonde le idee.

Una tassa più pesante, invece, sui complimenti: come altre città fascinose e manomesse, Napoli è vittima del folklore consolatorio. Ogni volta che sento una milanese o un romano cinguettare in televisione «Amo Napoli e il Vesuvio!» penso agli amici napoletani furibondi. Li ho ascoltati durante la Pizza Italians – che in Italia non si potrebbe fare, ma questa è la patria della pizza. Vogliono consigli per costruire una città utilizzabile; non generica adulazione che sa di cautela ipocrita, e non porta a niente.

Per evitare tasse e figuracce, dico solo: nel resto d'Italia non ci rendiamo conto di cosa sta succedendo qui a Napoli. Tredici rivolte contro la polizia in cinque mesi: l'ultima è accaduta in città (piazza Ottocalli), non nella periferia di Scampia. L'assessore alla sicurezza (!), Nicola Oddati, rapinato della Renault Scenic da quattro ragazzi armati di pistola: alle dieci di sera, a Fuorigrotta, dove la gente passeggia e lecca il gelato. L'omicidio Giuliano è avvenuto a via Tasso, salita borghese verso il Vomero, non in qualche discarica di Casoria. Le ragazzine di buona famiglia attraversando la strada per andare a scuola giravano intorno alla macchia di sangue.

Non ci vuole un genio – basta perfino un giornalista – per capire che il cerchio si sta chiudendo: il centro di Napoli sta conoscendo i drammi delle periferie, e fra poco non ci sarà più un posto dove scappare. Anzi, uno c'è: il sobborgo elegante, blindato, protetto. È la via che hanno scelto a Buenos Aires, a Rio de Janeiro, a Mosca, a Los Angeles: davanti all'avanzata della violenza, si scappa e ci si barrica.

Spero che i napoletani non cedano a questa tentazione, che è comune a molti connazionali. Le violenze sulle donne, le rapine in casa e le sparatorie per strada non procurano solo angoscia; prima o poi spingeranno qualcuno a pensare: «Armiamoci! Barrichiamoci! Lasciamo che i disperati, indigeni o d'importazione, s'ammazzino tra loro nel ghetto che avanza!». Una ritirata tattica, dopo aver ceduto il territorio. Ma è una soluzione pessima e miope. Il territorio non si molla. Si difende.

L'Italia non è un Paese magnifico solo perché ha i dipinti di Giotto nelle chiese. Piace – a noi, agli stranieri – perché funziona secondo l'assunto di eBay (fatevi spiegare dai figli cos'è): «Tutti sono buoni, fino a prova contraria». E buoni e fiduciosi siamo davvero: anche i furbi tra di noi, davanti a una richiesta d'aiuto per strada, sorridono e non si tirano indietro. Credetemi: tanti americani, molti russi, troppi argentini e parecchi brasiliani hanno smesso di sorridere. Noi sappiamo farlo, perché – per adesso – siamo ancora capaci di stare insieme: nelle piazze e nelle vie, nelle scuole e negli ospedali, perfino negli stadi (deficienti permettendo). Non è socialismo; è una conquista sociale, e possiamo andarne orgogliosi.

I napoletani non mollino, e noi aiutiamoli a non mollare. Perché quello che succederà qui accadrà nel resto d'Italia. Si vince o si perde tutti insieme. E questo, nella tragedia, è un bene.

38ª Pizza Napoli, 21 giugno 2005

NELLE FIABE E CON LE FATE

Prima di tutto, il posto. Salire a Tällberg – regione di Dalarna, tre ore a nord-ovest di Stoccolma – è come visitare un libro di favole, dopo averne letti tanti: casette di legno e fiori in giardino, viste mozzafiato su laghi color piombo, una striscia arancio nel blu della notte. Mancano gli gnomi, ma le fatine non sono niente male. Il mondo è cambiato, ma in materia di bionde la Svezia ha ancora qualcosa da dire.

A Tällberg ogni anno, da venticinque anni, si riunisce un forum che pensa a qualche soluzione per i guai del mondo: un compito talmente pazzesco, che uno può rilassarsi. Ogni anno, una settantina di persone: uomini d'azienda e accademici, politici e comunicatori, economisti e ambientalisti. Per l'anniversario, gli organizzatori hanno deciso d'allargare, e hanno invitato quattrocento persone di settantadue Paesi, proponendo cinque giorni di incontri, seminari e musica. Un gigantesco *smörgåsbord* (buffet svedese) dove ognuno può prendere quel che vuole, hanno spiegato gli organizzatori. Al posto dei gamberetti, tutti noi.

In effetti, c'era da sbizzarrirsi. Il re di Svezia che si aggirava vagamente stralunato tra piccole bande di accademici cinesi; economisti russi con bambini che incrociavano il presidente georgiano Saakašvili diretto verso il tennis; accademici americani che ballavano il rock'n'roll con egiziane copte; l'indiano Shashi Traroor, vice di Kofi Annan all'Onu, ipnotizzato dal suo BlackBerry; un americano che legge in inglese poesie cinesi sui palestinesi a uno svedese, per la gioia di quattro sudamericane.

I luoghi hanno un'anima, e le nazioni pure. Se nei convegni americani si propone, in quelli inglesi si esamina e in quelli italiani si fanno amicizie fingendo di litigare, in quelli svedesi si sogna (forse per quello offrono ai partecipanti una coperta). È bello vedere persone di settantadue Paesi che passano cinque giorni insieme, piacevolmente ossessionate da quello che fanno: in questi posti alla prima colazione la gente chiacchiera sulla riconciliazione in Ruanda, e di lì in poi parla di cose più complicate.

Solo alle Olimpiadi ho avuto la stessa sensazione: il mondo che si ritrova e vede come vorrebbe essere, e non è (*How on Earth can we live together?*, era il titolo dell'incontro). Tutti sapevamo che il campione non era rappresentativo – pochi musulmani, e temo non sia un caso – ma era bello scoprire che a cena, intorno a un tavolo da otto, c'erano cinque continenti, sei lingue e quattro religioni. Certo: i giovani pseudo-salafiti di Leeds, che sognano di far esplodere il Paese che li ospita, non c'erano. Ma è bello, ogni tanto, frequentare i Curiosi Speranzosi del mondo, invece di farsi immalinconire dai Nuovi Cinici di casa nostra.

L'incontro è finito con un concerto all'aperto sovrastato da nuvole scandinave che facevano sul serio. Perfetta metafora della situazione: perché è evidente che nessuno ha idea di come sistemare il mondo, che somiglia a Tällberg come un cactus somiglia a un mandarino. Ma bisogna continuare a provarci, comportandosi il meglio possibile, in bilico come equilibristi tra problemi globali e identità locali.

«Concentrarsi sul futuro non dev'essere un modo per ignorare il presente», ha detto un americano ottantaseienne, Russ Ackoff, uno di quegli splendidi animali da congresso che sanno sempre trovare il tavolo dei dolci. Basta futurologi, dunque, e avanti i *presentologi* con le loro idee semplici.

Per esempio: facciamo funzionare le Nazioni Unite, invece di deriderle. L'alternativa è un mondo ancora più anarchico di quello che conosciamo, dove il più forte non comanda: interviene dove può e come può, combinando anche parecchi disastri. Oppure: rendiamoci conto che abbiamo combattuto una guerra contro la povertà, e la povertà ha vinto (tre miliardi di persone vivono con meno di due dollari al giorno); se vogliamo cambiare qualcosa, cambiamo le regole del commercio mondiale, che massacrano le produzioni dei Paesi più poveri.

Sogni? Certo. Ma se non si sogna qui, dove si sogna? Secondo me Lui li ha messi qui apposta, questi boschi e questi laghi, lasciando – già che c'era – una striscia arancio nella notte blu.

39ª Pizza Stoccolma, 29 luglio 2005

Scrivo da un Paese stranissimo, dove il presidente della Banca Centrale s'è dimesso per aver accettato ospitalità in albergo da un banchiere tra quelli che doveva controllare. Per non illudermi che qui in Germania siano perfetti, guardo il dopo-elezioni: la sostanziale parità tra democristiani e socialdemocratici ha impedito finora la nomina di un cancelliere. Per questo, incontrandoci, i tedeschi evitano di usare l'espressione *italienische Verhältnis* (situazione politica all'italiana), come facevano fino a ieri.

Ma il pasticcio post-elettorale è solo una faccenda di numeri e trattative: si risolverà. Intanto il Paese procede tranquillo: stazioni, piazze e uffici continuano a emettere il respiro tranquillo di una società che funziona. I treni, da Monaco a Norimberga, corrono di fianco a nuovi cantieri dove la gente lavora davvero; stadi nuovi e colorati, pronti per i Mondiali di calcio, si alzano sotto un cielo grigio che quasi non li merita. In Germania si sente il rumore diesel delle democrazie, e noi veniamo ad ascoltarlo con lo stesso stupore ammirato con cui i tedeschi scendono in Italia a vedere i laghi e i palazzi.

Nessuno crede che questo Paese sia impeccabile: la corruzione c'è, in politica e negli affari. Però viene condannata, perseguita, punita; e la Germania funziona. I media parlano di fatti. In Italia imperversano i dibattiti ideologici dietro cui si nascondono pratiche imbarazzanti. Ultimamente ci si sono messi anche vescovi e cardinali: eppure conoscono bene la distanza che passa tra le enunciazioni e i comportamenti degli uomini (soprattutto se quegli uomini sono italiani). Nel nostro amato e indisponente Paese, se qualcuno pronuncia la parola «legalità», ha in mente qualcosa d'illegale; o, come minimo, intende giustificarlo.

Lo prova un libro che mi sono portato in viaggio, *La*

corruzione costa di Marco Arnone ed Eleni Iliopulos. È un libro ferocemente onesto, che dovrebbe stare sui comodini di tutti noi: ma poi, di notte, avremmo gli incubi. Arnone, che ha lavorato al Fondo Monetario Internazionale, illustra bene il tunnel in cui ci siamo cacciati. La corruzione italiana – che non è fatta solo di passaggi illeciti di denaro, ma di concorsi truccati e di favori sfacciati – è in aumento. Lo sappiamo tutti, ma non ne vogliamo più sentir parlare.

La sensazione è che abbiamo rimosso il problema: l'argomento è spiacevole, meglio evitarlo. Ci comportiamo come quel tipo che ha un foruncolo sul naso; invece di curarselo, decide di non guardarsi più allo specchio. Non solo: se la prende con chi, per strada, lo osserva. Così si spiega il crollo di popolarità dei magistrati. Dice Piercamillo Davigo: «La magistratura è il cane da guardia del condominio democratico. Se arrivano i ladri, abbaia. I condòmini italiani si svegliano e cosa fanno? Invece di prendersela coi ladri, picchiano il cane».

Aggiungerei: in qualche caso i cani vengono rimproverati (gli organismi internazionali, i media stranieri). Talvolta vengono narcotizzati (la televisione italiana). Spesso vengono ignorati: abbaino pure, si stancheranno. Denunciare sprechi e abusi sui giornali serve a poco: gli accusati fanno finta di niente, sapendo che il pubblico non vuole notizie irritanti e pensieri pesanti. Sull'Italia forse dovremmo appendere il cartello che si vede sulle maniglie delle stanze d'albergo: DO NOT DISTURB, non disturbare.

Ma un giorno quella porta dovremo aprirla, per cambiare aria o fare pulizia. Non oso pensare cosa ci troveremo dietro.

40ª Pizza Monaco di Baviera, 4 ottobre 2005
41ª Pizza Norimberga, 5 ottobre 2005

Ricordate i frasari di un tempo? Le conversazioni erano talmente formali da diventare surreali. Gli argomenti da affrontare in viaggio erano prudenti, le controversie venivano accuratamente evitate. Prendo il *Corso di Inglese della Bbc* (Valmartina, 1956), e trovo questa conversazione in una stanza d'albergo (pag. 29): «*John! What is that thing on the wall?*». «*Where?*» «*There, over the bed. Is it a picture?*» «*Oh no! It isn't a picture, it's a photo.*» («John! Cos'è quella cosa sul muro?» «Dove?» «Lì, sopra il letto. È un quadro?» «Oh no! Non è un quadro, è una foto.»)

Vent'anni dopo la gente aveva imparato a distinguere i quadri dalle foto, ma la situazione era cambiata poco. Prendiamo la sezione VISITE di *Parlo Spagnolo* (Vallardi, 1977). La prima frase (pag. 207) era «Vuol venire a casa mia per una tazza di tè?» (*¿Quiere Ud. venir a mi casa a tomar una taza de té?*). Nella sezione BAR-RISTORANTI di *Parlo Tedesco* l'approccio era questo: «Lei fuma? Posso offrirle una sigaretta?» (*Rauchen Sie? Darf ich Ihnen eine Zigarette anbieten?*, pag. 164). Sarete d'accordo: nemmeno la ragazza più timorata di Tubinga avrebbe potuto turbarsi.

Negli anni Ottanta le cose iniziano a cambiare. In *Hungarian for Travellers* (Berlitz, 1981), nella sezione FARE AMICIZIE, l'atteggiamento è più disinvolto. Le fanciulle magiare in vacanza sul lago Balaton si sentivano dire frasi come «Mi piace molto la vostra campagna» (*Nagyon szeretem a vidéket*, pag. 93), un'affermazione che lasciava trasparire maliziose intenzioni. Lo stesso accade in *Travellers' Czech* (Colletts, 1989): tra le ESPRESSIONI QUOTIDIANE (pagg. 14, 15) comparivano «Siete sposata?» (*Jste ženatý?*) e «Avete tempo libero?» (*Máte cas?*), due frasi che mostrano quali fossero le priorità dei turisti stranieri sulla Moldava.

Oggi è tutto chiaro. Al posto di maliziose intenzioni, esplicite dichiarazioni. Prendiamo il nuovissimo frasario della Lonely Planet/Edt, *Capire e farsi capire in tedesco*, sezione FARE CONOSCENZE (pagg. 124-126). Si parte con «Puoi accompagnarmi a casa?» (*Kannst du mich nach Hause begleiten?*) e si finisce con «Non lo dimenticherò mai!» (*Ich werde das nie vergessen!*), passando per una serie di comandi imperiosi: «Baciami!» (*Küss mich!*), «Togliti questo!» (*Zieh das aus!*), «Andiamo a letto!» (*Gehen wir ins Bett!*), «Non fermarti!» (*Bitte hör nicht auf!*), «Vacci piano!» (*Sachte!*) e «Prendila con umorismo» (*Mit Humor geht alles besser*). Quest'ultimo suggerimento sembra particolarmente appropriato: per gli amanti italiani in terra di Germania, e per gli studenti di tedesco in Italia.

42ª Pizza Francoforte, 7 ottobre 2005

FUMO, LEGGI E CORTESIA

Sta a pochi passi dal Casino municipale, invaso da orde fotografanti sbarcate dalle navi da crociera. Il locale si chiama Pacific Restaurant Bar & Lounge. Aria minimalista, cibo pure. Poca gente, e quella poca fuma. A sinistra due trentenni inglesi. Lei sigaretta sottile, lui sigaro-obice, ma non sa fumarlo e deve riaccenderlo continuamente. A destra un uomo solo, parla francese al cellulare: sigaro anche lui, meno grosso ma più puzzolente. Guardo il cameriere. Lui allarga le braccia: «*Ici il n'y a pas de loi pour ça*», qui non c'è una legge per questo. Tossisco e sorrido: «Viva l'Italia».

Qualcuno dirà: le leggi non servono, basta l'educazione. Errore. L'educazione s'impara, ma occorre che qualcuno la insegni. Se non ci pensano mamma e papà, devono farlo le regole. Il divieto sul fumo nei locali pubblici non solo ha migliorato l'aria di ristoranti e bar, e ha salvato la salute di baristi e ristoratori (a proposito: perché la Confesercenti strillava tanto contro la nuova norma? Mistero). Il divieto ha anche aiutato i fumatori: costretti a piccole ripetute astinenze, molti hanno capito di poter fare a meno della sigaretta. Per lo stesso motivo, sostiene Gianna Schelotto, una norma che stabilisse un ragionevole orario di chiusura dei locali notturni sarebbe d'aiuto ai genitori. L'educazione (nostra, dei figli) è più facile, se la legge dà una mano.

Eppure si sente dire che il ministro della Salute potrebbe cambiare la legge antifumo voluta dal predecessore. Voglio essere ottimista: Storace non commetterà un errore del genere. Magari non riuscirà a impedire che i partiti (compreso il suo) decidano i nomi dei primari negli ospedali – una di quelle simpatiche tradizioni per cui gli stranieri strabuzzano gli occhi – ma certo è abbastanza forte da impedire che lobby, porcicomodisti e furbacchioni tolgano alla maggioranza degli italiani una novità che funziona e che piace.

Se però la decisione dovesse essere quella di tornare indietro, e trasformare bar e ristoranti in anticamere dei reparti di pneumologia, propongo di cancellare altre norme che abbiamo metabolizzato, e hanno contribuito a migliorare la convivenza in questo Paese.

1. Basta obbligo delle cinture di sicurezza in auto, e del casco sui ciclomotori. Il motto, tanto caro ai libertari da caffè, diventi: «La testa è mia, e me la rompo quando voglio io!». Poco importa che quelle teste rotte (e vuote) poi corrano in ospedale, e pretendano d'essere curate.

2. Eliminare le zone blu (a pagamento) per i parcheggi. Si torni alla tradizionale anarchia delle città italiane,

quella che gli stranieri chiamano «pittoresca» (finché non gli bloccano la macchina). Ognuno posteggi come e dove può (a Milano lo facciamo da tempo: siamo sempre un passo avanti).

3. Niente più controlli con l'etilometro. Se uno riesce a mettere la chiave nel quadro, invece di infilarla nell'autoradio, significa che può condurre un veicolo. Perché guastare le serate patriottiche dei nostri ragazzi (martini bianco e vino rosso finché non restano al verde)? I giovani, in fondo, sono allenati dai videogiochi, dove la strada si muove qua e là. Quest'approccio tollerante, in parte, viene già adottato: ci sono più auto della polizia in una sera intorno ai locali di Monaco di Baviera che in un mese davanti alle discoteche della Lombardia.

43ª Pizza Montecarlo, 19 ottobre 2005

NAZIONI E NARRAZIONI

Uno gira, fa cose, vede gente. La vita, insomma, che Nanni Moretti consiglia, senza farla. E viaggiando, facendo cose e vedendo gente, ci s'accorge che l'Italia è diversa da molti Paesi amici e concorrenti. Non è solo questione di economia, politica, amministrazione e giustizia. È una questione di umore: e non è meno importante.

L'umore delle nazioni è una cosa seria. Non dipende solo dal fatto di vivere in tempo di pace. Questa è una condizione che conosciamo da molto tempo, e apprezzano veramente solo gli ultrasettantenni, che ricordano la guerra in casa. Il benessere non è neppure una questione di potere d'acquisto. C'è addirittura chi, come Serge Latouche

(*Come sopravvivere allo sviluppo*), invita a «resistere alla colonizzazione dei bisogni socialmente costruiti», puntando invece sulla «semplicità volontaria» e «la decrescita conviviale» (una strategia che potrebbe risultarci congeniale: in Italia la crescita quest'anno sarà nulla; e, in quanto a convivi, non ci batte nessuno).

Da cosa dipende, allora, l'umore delle nazioni? La butto lì: dalla capacità di sentirsi protagonisti di una storia che va avanti. Senza questa «capacità narrativa», una comunità non vive: sopravvive. Magari si diverte, spende e spande per mascherare incertezza e delusione. Ci sono abitudini italiane che hanno l'aria d'essere tattiche consolatorie. Penso al successo strabiliante dei negozi di intimo; all'ossessione per qualsiasi gadget; al fatto che metà dei maschi sopra i quarantacinque anni siano diventati gourmet, e l'altra metà ciclisti e giardinieri.

Quali Paesi hanno ancora questa capacità narrativa? Gli Stati Uniti non l'hanno mai perduta: solo gli sciocchi e i superficiali non capiscono che la forza dell'America è il gusto del futuro, più saporito di qualsiasi presidente. Lo stesso ha saputo fare la Spagna del post-dittatura, che rivedo in questi giorni, nel sole sfacciato di Madrid: ha saputo passare dall'euforia alla consapevolezza, e non è poco. Anche la Gran Bretagna ha saputo raccontarsi: *Cool Britannia* e *New Labour* non erano (solo) abile marketing politico, ma un tentativo riuscito di reinventarsi. Hanno saputo raccontarsi la Germania in seguito all'unificazione, l'Ungheria dopo la libertà. Lo stesso vorrebbe fare Putin con la Russia: in assenza di meglio, rispolvera l'estetica e l'epopea sovietica (l'inno, le marce, l'uomo forte).

E l'Italia? Credo che la «capacità narrativa nazionale» fosse evidente durante il fascismo (il racconto a molti non piaceva, e il finale è stato tragico: ma Mussolini era un affabulatore). L'Italia è tornata a sentirsi protagonista nel dopoguerra; e negli anni Sessanta, quando ha gustato la ricchezza nuova. Negli ultimi tempi ci sono stati due momenti che hanno riportato brevemente questa corrente: l'ingresso nell'Unione Monetaria e il «contratto con gli italiani» di Berlusconi. Riuscito il primo e disatteso il secondo, siamo fermi: nessuno riesce più a farci sognare insieme.

I giovani italiani sognano da soli, e spesso sognano europeo: euro, email, Erasmus, easyJet e *English language* sono cinque E importanti, e hanno cambiato la vita di molti. I ragazzi hanno capito «la fortuna di vivere adesso / questo tempo sbandato», per citare Ivano Fossati. Noi adulti facciamo fatica. Siamo una generazione politica che dalla politica non s'aspetta soluzioni definitive: un racconto, però, sì. Vogliamo un'idea dell'Italia che verrà. Qualcosa da ascoltare, e in cui sperare.

Mancano sei mesi alle elezioni: vediamo se qualcuno riuscirà a raccontarci questa storia. O se andremo a votare per stanchezza e con la nausea, come al solito.

44ª Pizza Madrid, 27 ottobre 2005

L'ARTE DI TORNARE

Non so se l'avete notato: il mondo degli anziani è passato dall'eufemismo al marketing. Per proteggerci dallo spavento del tempo che passa, l'ospizio era diventato «casa di riposo», la vecchiaia era sfumata nella «terza età», la «carta d'argento» aveva allontanato la malinconia dello sconto-pensionati. Quello era ieri: oggi siamo avanti. Per esorcizzare un compleanno pesante, un coetaneo del 1956 mi ha scritto: «Arriva *The Big Fifty*!». Una signora già cinquantenne, che aveva dimenticato un appuntamento, s'è scusata per quel «*senior moment*». Delizioso. Marketing, però.

La verità è che il tempo passa: la cosa è seccante, ma presenta qualche vantaggio. Non l'esperienza, che è fuori moda; né la saggezza, che è pubblicitariamente inutile. Un vantaggio – piccolo, ma appetitoso – è questo: l'età permette di ritornare nei posti, ed è eccitante quanto andarci. Tornare vuol dire fare confronti, spolverare ricordi, lasciarsi commuovere da un profumo e arrabbiarsi per un panorama che non c'è più. Tornare non vuol dire capire; ma gustare, sì.

Scrivo queste cose rientrando da Budapest, dove sono stato spesso dal 1982 al 1992: poi più. Ho scoperto, tricolore a parte, molte cose in comune con l'Italia: gente sveglia, belle ragazze, brutta televisione, restauri affrettati, polemiche ridicole (il governo e l'opposizione litigano su un articolo del «Financial Times»: cos'è più italiano di così?). Come Roma, Budapest è percorsa dalle bande allegre della nuova Europa. Quelle che si conoscono per email, si fidanzano in chat, si amano dopo un volo super budget e poi commentano con due sms (vero Daniele?).

Chi ha conosciuto l'Ungheria negli anni Ottanta, intristita dal comunismo, è felice di trovarla indaffarata e impaziente, orgogliosa delle terme e dei trasporti che funzionano. Saranno l'età e i ricordi, come dicevo, ma è bello vedere gli ungheresi in fila all'aeroporto Ferihegy sotto la scritta «*Eu Citizens*» (cittadini dell'Unione Europea), insieme a inglesi, tedeschi e italiani: stessi telefoni, stessi vestiti, stesse valigie. Se pensate che siano i danni della globalizzazione, parlatene agli interessati. Vi diranno, nella loro lingua enigmistica, che va bene così.

La nazione che ha inventato la biro e perfezionato i caffè ha imparato il piacere della normalità: e non vuole perderlo. All'aeroporto – pulito, luminoso, accogliente:

sembra costruito un secolo dopo Malpensa – il sistema wi-fi funziona alla perfezione: Pannonia.com si chiama la rete, e il computer la trova in un attimo. Banda larga ubiqua e gratuita per chi saluta il Paese, e chi l'incontra. Niente di straordinario, direte voi: c'è a Varsavia e c'è a Stoccolma, c'è a Lisbona e c'è ad Atene. C'è quasi dappertutto.

Be', quasi. A Fiumicino nella piccola zona wi-fi (a pagamento) campeggiava fino a pochi giorni fa una scritta: IL SERVIZIO È TEMPORANEAMENTE SOSPESO. I computer a disposizione nell'aerea partenze per Milano – una buona idea – erano spenti. Nella saletta d'attesa, per mesi, stessa situazione, e una spiegazione: «Alitalia è spiacente di comunicarvi che il servizio è temporaneamente sospeso in attesa di adeguamenti delle modalità di accesso richieste dalla legge 31.7.2005, approvata per contrastare il fenomeno del terrorismo internazionale».

Uno potrebbe dire: che importa? Noi abbiamo il genio, il gusto, la grinta e la generosità per farcela. È vero: ma non basta. Il mondo corre, l'Europa cammina. Se in Italia ci fermiamo, un giorno diranno di noi quello che il perfido De Gaulle disse del Brasile: «È un Paese con un grande potenziale. E sempre lo sarà».

48ª Pizza Budapest, 8 gennaio 2006

I VANTAGGI DELLA FRONTIERA

Se le province facessero autogol come i terzini, a Bolzano ne avrebbero segnato uno niente male. I sindaci di 113 su 116 comuni della provincia autonoma hanno infatti sottoscritto una petizione gradita agli Schützen – l'antica milizia tirolese – per chiedere a Vienna l'inserimento nella nuova

Costituzione di «un riferimento alla funzione dell'Austria quale potenza tutrice dell'autonomia dell'Alto Adige».

A parte il fatto che l'espressione «potenza tutrice», oggi, fa abbastanza ridere, uno si chiede: esiste un ufficio pubbliche relazioni, nel Tirolo meridionale? Se la risposta è sì, c'è da sperare che non sia stato consultato. L'impressione, infatti, è che nelle nevose pianure della Penisola la trovata dei sindaci altoatesini non sia stata apprezzata. Oddio: non è che dentro i bar di Bologna e gli ipermercati di Milano si parli solo del presidente Durnwalder e del suo ruolo nella faccenda. Diciamo che alcuni di noi ci sono rimasti male. E sono sorpresi.

L'impressione, frequentando quei posti, era un'altra: le ruggini del passato sembravano sciogliersi col passaggio delle generazioni, nell'Europa a 25, e in pace. Conosco ragazzi altoatesini. Penso a Maddalena, Valentina ed Elke: hanno capito che vivere in una terra di mezzo oggi è un'opportunità, non più un problema. Crescere in una zona organizzata, benestante e civile, parlare due lingue (tre, perché sanno l'inglese), scegliere l'università tra Innsbruck (Maddalena), Milano (Valentina) e Londra (Elke). C'è di peggio, per una ragazza del XXI secolo.

Ripeto: non capisco. Ho parlato, ho chiesto: mi hanno detto che, per interpretare la trovata dei sindaci, occorre conoscere la Südtiroler Volkspartei (Svp), che al suo interno ha più correnti d'un torrente della Val Pusteria. Mi hanno spiegato che l'«ala economica» del partito avrebbe fatto volentieri a meno della petizione alla «potenza tutrice». Sarà. Resta un fatto: appena l'Europa della convivenza fa un passo avanti, le nazioni della diffidenza ne fanno due indietro.

Mi credano, a Bolzano: i turisti che caricano gli sci in macchina e partono guardando le previsioni del tempo, non conoscono le sfumature della politica altoatesina. Sanno invece che quei 113 sindaci – numero allarmistico, in Italia: non potevano sceglierne un altro? – hanno fatto una cosa strana e un po' scortese. La questione altoatesina, come ricorda il vice sindaco di Brunico Paolo De Martin, non s'era conclusa col rilascio della «quietanza liberatoria» da parte dell'Austria nel 1992? Considerato che il 90 per cento del reddito prodotto localmente resta sul posto, c'era bisogno di ritirar fuori la faccenda? A poche settimane dal voto in Italia, poi.

Ripeto: ci vuole del genio. A meno che la petizione sia un modo di mettere le mani avanti: se ci sono i soldi, bene; altrimenti, ce ne andiamo. Se non con l'Austria, in quel «condominio di confine» di cui parlava Sergio Romano sul «Corriere», dopo aver definito «malriuscito» il matrimonio tra Bolzano e l'Italia. Soluzione provocatoria, ma complicata: nei condomini, infatti, gli italiani litigano perfino più che nei matrimoni.

Proposta personale, romantica e alternativa: prendiamo esempio dai ladini dell'Alta Badia (il sindaco di Corvara non ha firmato la petizione: bravo). Lassù mescolano affidabilità austriaca e fantasia italiana, e ci aggiungono calore: il condominio – mi creda, ambasciatore – funziona bene. Tant'è vero che italiani, austriaci, tedeschi ed europei tutti corrono lì per nove mesi l'anno, rispettosi e ammirati, offrendo sorrisi, complimenti e carte di credito.

Di cos'altro ha bisogno, un angolo d'Europa, per dichiararsi soddisfatto?

50ª Pizza Innsbruck, 13 marzo 2006

GIORNALI E TACCHINI

Un tacchino, in una fattoria americana, decise di formarsi una visione scientifica del mondo. Il primo giorno notò che il padrone gli aveva portato da mangiare alle 12.00. Il giorno dopo, il fatto si verificò di nuovo, lo stesso nei mesi successivi: indipendentemente dal clima, dal vestito del padrone, dal fatto che questi fosse solo o in compagnia. Il tacchino ne trasse la seguente conclusione: «Indipendentemente dal clima, dal vestito, dal fatto che sia solo o in compagnia, il padrone mi porta da mangiare alle 12.00». Capì d'aver sbagliato il Giorno del Ringraziamento, quando diventò il piatto principale.

La triste storia del tacchino induttivista è una metafora di Bertrand Russell e Karl Popper, che contestavano la validità dell'inferenza induttiva per enumerazione, cardine dell'empirismo. Tranquilli: oggi non parliamo di filosofia. Volevo solo dirvi questo: i giornali sono pieni di tacchini. Solo che ragionano al contrario: si considerano spacciati, e non lo sono.

Poiché il numero di lettori continua a diminuire, anno dopo anno, noi giornalisti abbiamo deciso che, avanti di questo passo, i quotidiani spariranno. Domanda: chi ha detto che bisogna andare avanti di questo passo? Cambiamo passo, e vediamo cosa succede.

Innanzitutto, smettiamo di trattare i giovani da giovani: dopo i diciotto anni, sono adulti (sebbene qualche cinquantenne infantile voglia dimostrare il contrario). Certo: la nuova generazione è abituata alla velocità, alla brevità e all'interazione – e bisogna tenerne conto, senza terrorizzare chi ha un'altra età, e confonde il blog con lo smog.

Non è facile, ma ci sono tre punti fermi. Primo: i lettori – soprattutto i più giovani – vogliono giornali-rompiscatole, e non giornali-maggiordomi. Secondo: la rete e la carta possono convivere, e aiutarsi a vicenda. Terzo: i mass media stanno diventando *participatory media* («The Economist»).

L'idea del pubblico passivo è vecchia: buttiamola. Non basta piangere gli utenti che ci lasciano (annunci, meteo e cinema stanno traslocando su Internet); cerchiamo di rimpiazzarli con dei soci (gente che vuole esserci, capire e dire la sua). Chissà, forse i quotidiani possono diventare «comunità diffuse»: da frequentare gratuitamente sulla rete, da acquistare di carta, da incontrare in pubblico. A Berna – da dove ho festeggiato i sessant'anni della Repubblica sfilando con la Vespa, nata nello stesso anno – ho ritrovato gli Italians. L'impressione è che la pensino come me. Apprezzano il forum, vengono alla pizzata, magari acquistano il «Corriere».

«Bbc Radio 4», in Gran Bretagna, è una comunità di questo tipo: gli inglesi che pensano, dallo studente universitario al primo ministro, l'ascoltano (perché gli piace, perché ci tengono, perché gli conviene). Il «New York Times» è un quotidiano, e insieme una comunità intellettuale. Anche «il Giornale» di Montanelli era un giornale-club. «La Stanza» – nome impeccabile – era un proto-blog, dove le vicende e le opinioni del padrone di casa venivano condivise e discusse con gli ospiti.

Le grandi *media companies* si scervellano, ma non riescono a concepire uno scenario in cui l'utente mette nei media tanto quanto ne tira fuori: eppure è lì che stiamo andando. Pensano di far pagare Internet (un ambiente nato gratuito, pornografia a parte); vedono con terrore l'avanzata dei blog (ne nasce uno ogni secondo); si spaventano, e cercano di risparmiare sui contenuti giornalistici (quelli che, alla lunga, faranno la differenza).

Domanda: se i «media partecipati» sono il futuro, qual è il «modello di business» legato a quest'intuizione? Chi lo scopre, vincerà. E magari eviterà a noi giornalisti la fine del tacchino, che è sempre antipatica.

56ª Pizza Berna, 1° giugno 2006

Sto per fare due cose che un bravo *columnist* dovrebbe evitare: scrivere «l'avevo detto» e buttarsi sull'argomento del giorno. Sono tentazioni cui, di solito, tento di resistere. Stavolta permettetemi di peccare spensieratamente.

Sono in Germania, e martedì sera stavo nello stadio di Dortmund, dove l'Italia ha battuto i padroni di casa in semifinale (Grosso e Del Piero, 13° e 14° del secondo tempo supplementare). Oggi sono afono, stralunato e insonne: ma non sorpreso. Il 25 maggio scrivevo sul «Corriere della Sera»: «Ai Mondiali la nazionale italiana si presenta fortissima. Sarà concentrata e determinata come non mai, roba che i prigionieri di *Fuga per la vittoria* se la sognano». Non era una critica, ma una (facile) previsione, ripetuta anche alla Pizza Italians di Hannover (ho i testimoni).

Siamo i professionisti dell'emergenza: davanti all'imprevisto e alle difficoltà, diamo il meglio. L'ordinaria amministrazione ci annoia, la presunzione spesso ci danneggia. Gli esempi – dalla storia militare a quella economica – sono numerosi. Ogni volta che affrontiamo il mondo con sufficienza, quello ci schiaffeggia. Quando lo rispettiamo, ci premia.

In questo Mondiale altri sono finiti nelle trappole della presunzione. Tre dei Paesi favoriti – Brasile, Inghilterra, Germania – hanno cominciato a festeggiare troppo presto. Ognuno ha scelto uno sciagurato slogan dinamico: *Rumo ao exa!* (Diretti verso la sesta vittoria!), *Football's coming home!* (Il calcio torna a casa!), *Wir fahren nach Berlin!* (Andiamo a Berlino!). Noi italiani, occupati a pettinare le nostre nevrosi, abbiamo evitato sbruffonate. E siamo arrivati in fondo.

Altra caratteristica nazionale: per lunga tradizione, siamo bravi a creare una banda, e usarla come igloo contro le freddezze del mondo. Corporazioni, cricche, combriccole, congreghe, confraternite: il tepore ci piace e ci rassicura. Marcello Lippi è stato capace di sfruttare questo meccanismo psicologico. Ieri, durante la conferenza-stampa a «Casa Azzurri», ho preso nota: il sostantivo più usato è stato «gruppo», un aggettivo rivelatore era «complice». Un gruppo complice, solidale, tenace, diffidente. Il c.t. ha preso alla lettera le parole dell'inno di Mameli: «Stringiamci a coorte, siam pronti alla morte!». Funzionava per le legioni di Cesare, funziona coi pretoriani di Lippi. I tedeschi, allora e oggi, l'hanno capito in ritardo.

Non sono gli unici a essere stupiti. Noi giornalisti italiani in Germania siamo – non da oggi – i più consultati e intervistati. I colleghi stranieri vogliono sapere le ragioni di questa strana coincidenza del nostro calcio: disastri in Italia, successi in Germania. Quando spieghiamo che non si tratta di coincidenza, e forse esiste un rapporto causa-effetto, strabuzzano gli occhi. Ieri un reporter televisivo inglese ha concluso: «Ma è una cosa da pazzi!». Appunto, gli ho risposto.

Gli unici a non cercare spiegazioni, perché assolutamente felici, sono gli italiani in Germania. Ieri si muovevano con circospezione in un Paese in fase post-traumatica, ma il sorriso li tradiva. Hanno avuto meno fortuna di altre emigrazioni italiane: si sono inseriti con difficoltà nelle gerarchie locali, e incontrano ancora – soprattutto qui, nell'ovest industriale – un affetto misto a sufficienza. A Dortmund, ieri mattina, ho incontrato una gelataia originaria del Cadore, un barbiere siciliano, un operaio barese. Mi hanno detto: «Il Mondiale noi l'abbiamo già vinto battendo la Germania. Quello che dovesse arrivare in finale, è un extra».

Pensate: anche queste consolazioni ha prodotto, il disastro del calcio italiano. A dimostrazione che, se siamo pazzi, siamo dei pazzi interessanti.

57ª Pizza Hannover, 11 giugno 2006

LA SINDROME DELLO SCOIATTOLO

In piedi nella pizzeria Bella Roma ho provato a spiegare l'Italia ai *Tampereen-italialaiset*, disegnandola su un tovagliolino di carta. Un Paese affetto dalla «sindrome dello scoiattolo», dove ogni gruppo (corporazione, interesse, professione, ordine, lobby e casta) difende la sua tana con le unghie e con i denti. L'albero è ormai pieno di buchi e rischia di cadere? È necessario qualche sacrificio? Comincino gli altri scoiattoli. Intanto, giù le mani dalle nostre noci.

Propongo perciò una modifica costituzionale, meno traumatica di quelle in programma. L'articolo 1 dovrebbe essere così corretto: «L'Italia è una Repubblica fondata su una rendita». Pensate a tutte le organizzazioni che conoscete: c'è qualcuno piacevolmente infrattato che si gode uno stipendio e una serie di privilegi, spesso facendo poco. Oppure facendo molto. Peccato che non serva a niente.

Per ogni lavoratore, in Italia, c'è un occupatore. Non di poltrone – per carità, ormai siamo post-moderni – ma di cariche e prebende. Se questo servisse a gratificare alcuni milioni di persone, sarebbe veniale: c'è chi ama la pasta con le vongole e chi gode a sentirsi chiamare «Direttore!». Il guaio è che queste posizioni costano. E si tratta di costi rigidi: non dipendono dalla domanda (quale?) e dall'offerta, né dal mercato. Se le risorse di un'organizzazione sono pari a 10, e stipendi + privilegi costano 6, restano 4 per le attività. Ma se le risorse scendono a 8, stipendi + privilegi costano sempre 6, e alle attività rimane solo 2. Sta succedendo in Alitalia e in molti altri posti. Scrive Sabino Cassese: «Si è cominciato aumentando il numero dei consiglieri regionali. Si continua moltiplicando assessori, commissioni consiliari, posti di "capo dell'opposizione", altre cariche, tutti dotati di indennità, segretari, uffici, telefoni, automobili con autisti». Analisi semplicista? No, soltanto semplice. E drammatica, purtroppo.

Risultato? Bile dei lettori in aumento, e olimpica indifferenza degli interessati. Gli zavorratori d'Italia sono bravi, infatti, a camuffare i propri egoismi dietro un fuoco d'artificio di parole e dichiarazioni di principio. Per esempio: se una regione – destra o sinistra: cambia poco – distribuisce direzioni e autisti si parlerà di federalismo, di sussidiarietà e di pluralismo (diffidare sempre dai sostantivi astratti, in Italia). Se il ministero si vede risucchiare le risorse dagli stipendi e deve fare promozione culturale, commerciale e turistica con le briciole, non potrà dir nulla: gli automatismi delle carriere e i diritti acquisiti sono più forti del buon senso. A difendere i primi, infatti, ci sono i sindacati e i tribunali amministrativi. A difendere il buon senso c'è solo – ogni tanto – qualche eroe. Ma poi si stufa anche lui/lei, e tutto continua come prima.

Molti scoiattoli italiani, però, non dispongono di una rendita. Devono arrangiarsi. Hanno preso atto della scomparsa del cibo tradizionale (un lavoro sicuro, una carriera, la prospettiva di una famiglia); e – non si sa quanto volentieri – si nutrono con quello che trovano: il gadget, il vestito, la scarpetta, la macchinina, la bottiglia, l'aperitivo, la vacanza mordi-e-fuggi, il piccolo lusso. C'è chi – per pagarsi queste cose e continuare a illudersi – fa fuori lo stipendio. E chi attinge al patrimonio di famiglia. Gli Italians della pizzeria Bella Roma hanno capito tutto questo. Ma Tampere è distante, il cielo è alto e l'Italia è lontana.

63ª Pizza Tampere, 9 maggio 2007

GENERAZIONE SAMSONITE

Chissà la faccia di Erasmo da Rotterdam, se sapesse cosa avviene nel suo nome: scambi di università, di città, di case, di letti e di sogni. L'Europa forma – finalmente – nuovi europei. Senza convegni, cerimonie e dichiarazioni: è bastato aiutare i ragazzi a conoscersi. Ci sono molti Italians, tra loro: hanno scoperto che *altrove* è una parola saporita. Li ritrovo a Tallinn, capitale dell'Estonia, nerazzurra come l'organizzatore del nostro incontro, Angelo Palmieri. Ma li rivedo in ogni Pizza Italians del continente: da Lisbona ad Atene, da Dublino fin qui sul Baltico, dove sembrano i più giovani, i più contenti, i più abili a decifrare il posto nuovo. Una ragazza di Milano mi dice: «Non ho quasi tempo per respirare. Non sai quant'è piena la vita Erasmus. Dovresti farci un libro!».

Il libro è questo. E la vostra vita – credimi – l'ho intuita.

Il progetto Erasmus compie vent'anni (1987-2007). Ha già mobilitato un milione di studenti e oggi coinvolge 2200 istituzioni universitarie in 31 Paesi. Come altre cose belle, deve guardarsi dalla retorica. Come ho scritto, sono i soldi meglio spesi dall'Unione Europea. Soldi – neanche molti – che hanno fornito ai giovani del continente stimoli, esperienze, conoscenze. E, soprattutto, un'epica.

I ragazzi degli anni Sessanta erano la Generazione Musicale. Le scoperte – geografiche, culturali, sociali, sentimentali, sessuali – passavano di lì. Noi, negli anni Settanta, siamo stati la Generazione Motociclistica: le nostre fantasie salivano e scendevano da una Vespa. I ragazzi degli anni Ottanta erano la Generazione Automobilistica: Bruce Springsteen nell'autoradio, e a Lugano iniziava Los Angeles. Negli anni Novanta è arrivata la Generazione Samsonite, allevata da Erasmus, email, cellulare e voli low-cost. C'è ancora, e non si limita a sognare: parte. Sa prenotare in rete e fare i conti. Sa che un amico all'estero riempie il cuore, e permette di risparmiare sull'albergo.

Ma Erasmus nasce come progetto di scambi universitari (da tre a dodici mesi); ed è opportuno chiedersi se abbia funzionato. Opportuno: non fondamentale. Allontanare un ventenne italiano da casa, e mettergli in tasca la chiave di una nuova porta, è di per sé un programma rivoluzionario. Ma – ripeto – esiste anche lo studio. È giusto spingere i ragazzi ad annusare il mondo accademico europeo?

Non è crudele esporre i nostri studenti a dosi massicce di mercato, merito e selezione a tutti i livelli; e poi riportarli indietro, nell'ambiente che conosciamo, fatto di infrastrutture inadeguate, docenti-fantasmi, concorsi aggiustati, fuori corso patologici, 3+2 balenghi e università-bonsai? Un professore lodevolmente spietato, Roberto Perotti (direttore dell'Igier-Bocconi, ex Columbia University), ha riassunto così la situazione: «Il sistema formativo italiano non funziona più».

A chi volesse accusarmi di scarso patriottismo accademico, rispondo con una considerazione di Stefania Giannini, rettore dell'Università per Stranieri di Perugia. L'Italia risulta tra i Paesi meno attraenti nei confronti degli studenti stranieri: siamo al 23° posto sui 27 Paesi Ocse, con un 2 per cento di iscritti nelle nostre università contro un valore medio di 7,3 per cento (dati 2006). Non riusciamo nemmeno ad attirare gli studenti dei Paesi emergenti (come hanno fatto gli Usa nel xx secolo, trattenendo poi i cervelli migliori). In compenso, la Finanziaria 2007 ha tassato le borse di studio. Geniale.

Certo, guai a rassegnarsi. Ha scritto Andrea Sironi, prorettore della Bocconi: «Occorre introdurre valutazioni e incentivi coerenti con la cultura di mercato». La speranza – leggo – è che «questa cura potrà dispiegare in maniera omeopatica, goccia dopo goccia, anno dopo anno, i suoi effetti in tutto il corpo sociale ed economico dell'Italia». Me lo auguro, professore. Ma un dubbio ce l'ho. L'omeopatia va bene. Ma per certe incrostazioni italiane, non sarebbe più utile il lanciafiamme?

64ª Pizza Tallinn, 13 maggio 2007

Scrivo nell'aeroporto di Riga, in paziente attesa del volo Air Baltic 621 per Milano-Malpensa, di fronte al maestoso tanga di pizzo di una bionda supersonica che intende rincorrere il successo in Italia, probabilmente non come centralinista o infermiera. Non so come farà, con zeppe da quindici centimetri e un cappellino sugli occhi. Ma ha tutta l'aria di volerci provare.

Lettonia ed Estonia sono terre di bellezze formidabili, dotate di insospettabile istinto didattico. Stanno infatti convincendo i turisti italiani che l'amore si conquista (o si compra). Regalarlo, per simpatia o per compassione, non è più di moda.

Il realismo di queste lezioni baltiche lascia turbati gli affezionati dell'amore itinerante. Mi racconta un connazionale residente a Riga: «Incontro questa banda di ragazzi pugliesi, incavolati neri. Capiscono che sono italiano e mi assalgono: "Dove sono le donne?! Siamo qui da due giorni e non battiamo chiodo!". Gli spiego che se vanno in giro a falange, con quell'aria aggressiva, le ragazze scappano. Mi hanno detto d'aver capito, ma non sono sicuro».

È interessante seguire le rotte del turismo sessuale italiano, perché raccontano le trasformazioni socio-economiche più di un rapporto della Banca Mondiale. L'Uomo che Va a Donne è un realista, un romantico e un rabdomante: cerca quello che in patria non trova, o non può permettersi. Il problema, qual è? Il mondo cambia: quando ha trovato la sua riserva di caccia, le pernici dilettanti gli ordinano di fare la persona seria; le professioniste controllano la scadenza sulla carta di credito.

Polonia, Ungheria e Repubblica Ceca prima, Estonia e Lettonia adesso, Romania e Bulgaria tra poco: diminuiscono i luoghi dove le ragazze si conquistano con una cena. Ormai sono troppo abili o troppo normali (dipende), e comunque sono cittadine Ue, libere di andare dove vogliono, quando vogliono, con chi vogliono. Non hanno più bisogno di trovarsi un uomo per vedere Venezia. Per arrivare in Italia, basta un volo low-cost. I nostri latin lover sono affranti. Non doveva fargli questo scherzo, l'integrazione europea.

65ª Pizza Riga, 15 maggio 2007

ESEMPLARI VOLANTI

Tommaso Padoa-Schioppa dice al «Corriere della Sera»: «Mi capita tranquillamente di usare voli low-cost e trovarmi benissimo». Ci credo, e aggiungo: il ministro potrebbe passare inosservato. Sui voli low-cost, ormai, c'è di tutto.

Scrivo seduto alla fila 5, posto corridoio, volo Orio al Serio-Cracovia, SkyEurope, proprietà slovacca, equipaggio polacco e passeggeri in maggioranza italiani. Sessantatré euro, tasse comprese: li vale, da sola, la commedia umana che mi circonda.

Non siamo più gli italiani caciaroni che fischiano alla hostess (carina, per la verità). L'umanità low-cost è quanto di più simile alla famosa «Italia reale», quella di cui i politici parlano tanto, forse perché la frequentano poco (la sapete quella del presidente della Camera Bertinotti che si riteneva *obbligato* a utilizzare i voli di Stato per farsi una vacanza in Bretagna? No, non è una barzelletta).

Sui voli low-cost non mancano mai:

1. Il ragazzo con la T-shirt. Non ha giacche, giubbetti, bagaglio a mano. Sembra sia uscito per un caffè, ma in effetti sta andando all'estero.

2. L'uomo mezzo gessato. Sotto porta i jeans, e non capisci se è un banchiere che vuol fare il fricchettone, o un fricchettone che vuol giocare al banchiere.

3. La fidanzata dell'Est. All'aeroporto parlottava al telefono con l'amato bene (che si suppone sposato, a giudicare da certe prudenze nell'organizzazione).

4. Gli amici in gita. Sono euforici, e nessuno sa perché. Hanno scarpe da ginnastica, pizzetto e/o basette e un accento che somiglia a quello di Vittorio Feltri in un giorno di luna storta. Ma sono gentili e aiutano le persone anziane a trasportare i bagagli.

5. Il businessman in trasferta. Si leva la giacca, tira fuori «Il Sole 24 Ore» e il computer, assume un'aria distaccata. Ci pensa la mamma con neonato pestifero, seduta di fianco a lui, a riportarlo in terra (durante il volo).

6. I pensionati avventurosi. Non avevano niente da fare, e hanno pensato: si spende meno in Polonia che a Brescia! Così sono partiti, portandosi della frutta in un sacchetto. Non sanno bene come si passa il tempo a Cracovia. Ma qualcuno glielo dirà, in albergo.

7. Il solitario. Indossa una camicia bicolore, porta un borsello e un cellulare del 1999. Agente segreto, rappresentante, artigiano in ferie, osservatore di calcio, bibliofilo? Nessuno ha il coraggio di chiederglielo, salendo a bordo. Potrebbe infatti rispondere, e il volo dura quasi due ore.

66ª Pizza Cracovia, 6 giugno 2007

Un po' per caso e un po' per libri, sono in giro tra Bruxelles, il Lussemburgo e la Germania tropicale (bello vedere i tedeschi seminudi e felici a casa loro). Giorni fa ero in Polonia. Il futuro dell'Unione Europea si decide in questi posti, in queste ore. L'avrete letto o sentito: la presidenza di turno tedesca tornerà alla carica sulla Costituzione, che nessuno chiama più così. Approvata in 18 Paesi, è stata infatti cassata dai referendum francese e olandese nel 2005. Stavolta si parla (sottovoce) di «mini-trattato». Obiettivo: dare alla nuova Ue (27 Paesi) regole nuove. Quelle attuali non funzionano più.

L'idea di introdurre la carica di presidente del Consiglio europeo non piace agli inglesi (ma se fosse Tonino Blair?). A Londra storcono il naso anche sul ministro degli Esteri comune e sull'adozione di una «carta dei diritti fondamentali». Ma i bravi inglesi sono nasostorcitori professionali, e non ci facciamo più caso. Il problema sono i polacchi.

L'attuale sistema di voto, infatti, va aggiornato, in modo da facilitare le decisioni a maggioranza: una proposta passerà se votata dal 55 per cento degli Stati che rappresentano il 65 per cento della popolazione. Tutti d'accordo, meno la Polonia, al momento governata dai gemelli Kaczyński. Lech è presidente; Jaroslaw primo ministro. Li differenzia un neo, li accomuna il cattivo carattere.

Oggi la Polonia (membro dal 2004, 39 milioni di abitanti) ha 27 voti; la Germania (membro dal 1957, 82 milioni d'abitanti) ne ha 29. A Varsavia sanno che bisogna cambiare, ma pretendono un nuovo meccanismo di calcolo dei voti, a loro favorevole. Se non verranno accontentati, minacciano di sabotare il vertice. Il presidente della Commissione, Barroso, è furioso. I tedeschi

– dal governo ai giornali – sono sull'orlo di una crisi isterica. A Colonia ho letto un titolo: *Polen nerven*, i polacchi rompono.

Chissà: forse i tedeschi non ci sanno fare coi vicini orientali. Di sicuro il duo Kaczyński è difficile quanto i fratelli Dalton. Ma c'è di più: ed è colpa nostra.

Mettiamola così: siamo più commossi noi all'Ovest, pensando ai popoli dell'Est tornati nella «casa comune europea», che i diretti interessati. Varsavia, Praga e Budapest (ma anche le capitali baltiche e balcaniche) emanano insofferenza e rivendicazioni. Eppure ricevono aiuti, aperture commerciali, possibilità di lavoro. Ingrati o delusi?

La risposta sta nelle frasi con cui l'ungherese Imre Kertész, premio Nobel per la letteratura nel 2002, ha chiuso l'intervento all'Accademia delle Arti a Berlino, giorni fa (la traduzione e la segnalazione sono di Alessandro Melazzini): «Quando i Paesi dell'Europa dell'Est allungarono le braccia in cerca di sostegno verso le democrazie dell'Europa occidentale, ottennero solo una stretta di mano e una pacca sulle spalle [...]. Non c'è dubbio che all'inizio del XXI secolo, dal punto di vista etico, ci troviamo abbandonati a noi stessi. Una civiltà che non dichiara apertamente i suoi valori o li pianta in asso procede verso il declino [...]. Quando penso alla futura Europa la immagino forte, sicura di sé, sempre pronta a trattare, mai opportunistica. Non dimentichiamo che dopotutto l'Europa è nata da una decisione eroica: la decisione di Atene di opporsi ai persiani».

Domanda: c'è bisogno che arrivino i persiani, per capire che è bello, giusto e utile stare insieme? Non possiamo scriverlo chiaro, e ripeterlo spesso, invece d'affidarlo ai comunicati finali dei vertici europei, che sembrano fasulli come i sorrisi nelle fotografie?

67ª Pizza Lussemburgo, 17 giugno 2007

Il bed & breakfast è il riassunto dell'ospitalità britannica. Il motel è la quintessenza dell'accoglienza americana. L'hotel di charme spiega la Francia. La pensione (prima) e l'agriturismo (poi) illustrano le aspirazioni italiane. In Germania c'è l'hotel a tre stelle.

Non due: troppo spartano. Non quattro: quasi internazionale. L'albergo tedesco per antonomasia ha tre stelle, e alcune caratteristiche. All'ingresso, una ragazza sorridente coi capelli raccolti, poltrone in similpelle, carte della città nell'apposito raccoglitore, collegamento wi-fi, zona-colazione dove gli ospiti, ogni mattina, attaccano con foga uova, funghi e salsicce, sotto lo sguardo orripilato degli italiani di passaggio.

La stanza da letto deve avere cuscini scomodi, televisore piccolo (film erotici a pagamento), scrivania in finto legno con cartoncino pieghevole (*Aufstellung über Dienstleistungen/Directory of Services/Guide des Services/Guida ai servizi*). Le tende hanno colori che non esistono in natura: fragola-mogano, ghiaccio-senape, birra-acciaio. Il minibar è cubico, essenziale, finto legno. Nel bagno, una doccia impeccabile, teli troppo piccoli, una dotazione modesta di shampoo e saponcini senza marca. Non viene neppure voglia di rubarli.

Mi piacciono, i tre-stelle tedeschi. Sono monumenti alla funzionalità, dichiarazioni di interdipendenza, piccoli santuari dove la Germania celebra i riti laici del lavoro. Ti chiamano subito un taxi, prendono tutte le carte di credito e chiedono gentilmente di sloggiare entro mezzogiorno (*Bitte stellen Sie uns ihr Zimmer am Abreisetag ab 12.00 Uhr zur Verfügung*).

L'hotel tedesco a tre stelle promette poco e mantiene di più. Qualche volta il viaggiatore, sceso da un'auto o smontato da un treno, trova piccole sorprese, e se ne compiace:

un letto più largo, un ascensore panoramico, una giovane cameriera che sorride come un'attrice di Wenders nella pausa tra due scene. Ma questo non è necessario. Il tre-stelle è un esercizio di sobrietà, e una consolazione. Nell'Italia, bella e instancabile, può sempre accadere di tutto. Nella Germania, sensuale e riposante, può succedere al massimo che manchi una coperta. Ma *Decken und Kissen stehen jederzeit zu Verfügung*, coperte e cuscini sono sempre disponibili.

Come i tedeschi, d'altronde. E non è poco.

68ª Pizza Düsseldorf, 19 giugno 2007

I CAMPUS VANNO COLTIVATI

In Italia Perugia, Padova, Parma e, tra poco, la mia Pavia. In Irlanda, Trinity College Dublin. Poco prima, Western Australia e Canberra. Lo scorso anno, negli Usa, Yale, Princeton e il Mit di Boston. Ora, in Inghilterra, Oxford, Cambridge ed Eton, grazie a Marco Liviero, un Italian che ci lavora come professore d'inglese (è come insegnare samba a Rio, o indisciplina stradale a Roma).

Più viaggio – e negli ultimi tempi ho viaggiato molto – più mi convinco che in Italia stiamo buttando occasioni. Tranquilli: non intendo proporre l'ennesimo, inutile confronto tra modelli scolastici. Questi discorsi piacciono ai nostri accademici, che difendono i meccanismi italiani ma appena possono scappano verso quelli anglosassoni. Volevo parlare di una cosa soltanto: il campus.

Il nome (latino, perciò nostro) indica «l'insieme degli edifici, degli impianti sportivi e delle aree di un'università» (Sabatini-Coletti, 2008). Un perimetro che non racchiude solo un luogo fisico, ma un progetto accademico.

In Italia il vocabolo ha esordito nel 1957. Ma qualcuno, già da tempo, aveva intuito cosa fosse.

Scriveva il ventiquattrenne Indro Montanelli su «Il Popolo d'Italia», il 3 aprile 1934, parlando dell'Università per Stranieri di Perugia: «Una università non basta. Non bastano professori dotti e pazienti e testi ben compilati a raggiungere gli scopi che ci proponiamo [...]. Se tutta l'Italia è un giardino, questa città deve diventare una serra: sia per la squisitezza di ciò che vi si può imparare, sia per la piacevolezza in cui vi si può vivere [...]. Attrezziamola ancora meglio per questo scopo, senza dispersioni di energie».

È così. Settantatré anni dopo, Perugia deve rimboccarsi le maniche. Come Pavia, Padova, Pisa, Parma e Piacenza, è più di una città: è un fantastico «campus naturale», costruito dagli architetti del Quattrocento, risparmiato dai colleghi del Novecento. Non c'è bisogno di inventarne un altro: basta attrezzare quello che c'è. Bisogna renderlo moderno, efficiente, accogliente, sicuro.

L'Università per Stranieri è ospitata nel palazzo Gallenga, per la gioia delle studentesse asiatiche; ma adesso bisogna metterci il wi-fi (a Pavia l'hanno fatto, bravi). Molti iscritti, nelle due università cittadine, non frequentano: chi sono, dove vanno, cosa fanno, di cosa vivono? E dove abitano? A Perugia e a Padova – non è un caso – hanno trovato cellule terroristiche (Al Qaeda, Br). La mafietta degli affitti, che nessuna amministrazione ha il coraggio d'affrontare (molti interessi, troppi voti), non ha solo conseguenze fiscali, ma igieniche, civiche, psicologiche, di ordine pubblico. Quindi, alla lunga, accademiche.

Oxford e Cambridge non sono perfette: strani traffici, violenze e incidenti avvengono anche lì (taciuti e rimossi, se possibile). Ma restano luoghi magici. I college e l'università garantiscono strutture, qualità, assistenza, risorse, convenzioni, riti, meccanismi di controllo. In una parola, funzionano. Gli studenti accorrono da tutto il mondo, e non gratis.

Le *P Cities* italiane devono trasformarsi in nuovi-antichi campus: non c'è contraddizione. Sarebbero i più belli al mondo, e tra i più ricercati. Ma questo non si può fare senza svolte, scelte, spese e sacrifici.

E chi le affronta, queste S difficili, in Italia?

75ª Pizza Oxford, 21 novembre 2007
76ª Pizza Cambridge, 24 novembre 2007

L'IMPORTANZA DEL TERZO POSTO

Ai tempi dei Beatles, le ragazze norvegesi facevano altre proposte (*Norwegian Wood*). Oggi vogliono sapere tutto sulla Lega Nord. Una studentessa, Ida Lovise Torske, sta scrivendo la tesi su *Le donne nella Lega* e, dopo un incontro in università, mi ha tempestato di domande. Le ho proposto un accordo: mezza giornata di visita guidata in cambio della *Lega Nord per norvegesi*. Siamo andati – lei, io e una genovese internazionale, Paola Burigana – sulla terrazza dell'Ekeberg Hotel. *Ute pils* (birra all'aperto) e *rekesmørbrød* (panino aperto con gamberetti), vista sul fiordo di Oslo, aria di primavera. Bello: un vero terzo posto.

Come, cos'è? Non un bronzo olimpico, non l'obiettivo stagionale del Milan, non l'illusione politica di Pierferdi Casini. «Terzo posto» è la traduzione di *third place*, un termine coniato dal sociologo americano Ray Oldenburg nel 1989 per definire un luogo diverso dalla casa e dall'ufficio. Un posto d'incontro neutrale e accogliente, come il bar televisivo di *Cheers*. Lo studioso si diceva preoccupato. Ne vedeva, infatti, l'inevitabile declino.

Come si sbagliava. Il *third place*, da allora, ha conosciuto una stagione entusiasmante, che non è finita. In Italia, se ci pensate, è sempre esistito: il bar, la piazza e il mercato sono classici «terzi posti»; lo erano anche il partito e il bordello, ora in crisi (il primo per stanchezza della clientela). In Europa del Nord, guadagna terreno: si addolcisce il clima, si ammorbidiscono i caratteri, si moltiplicano i luoghi comuni, anche all'aperto.

In America, negli anni Novanta, il «terzo posto» ha cavalcato nuove passioni e tecnologie. Pensiamo al caffè e a Internet, sfruttati da Starbucks, che dagli Usa è partito alla conquista del mondo. Recentemente ho benedetto una poltrona di cuoio, un tavolo di legno e una rete wi-fi qui a Oslo, in Australia, a Singapore, in Germania. Il caffè bollente aspetta, il pomeriggio avanza e il simbolo wi-fi appare sullo schermo. Di cos'altro ha bisogno un viaggiatore, per essere felice?

Qualcuno dirà: ma così il «terzo posto» smette d'essere luogo sociale, e diventa ritrovo di solitudini. C'è del vero. Ma nella mia stanza d'albergo, o in un ipotetico ufficio, sarei più solo; nel caffè della Litteraturhuset (Wergelandsveien 29), se entra una bella signorina norvegese, state tranquilli che alzo la testa.

Non è da molto che abbiamo la possibilità di portare con noi il lavoro d'ufficio (un'invenzione della rivoluzione industriale). Ricordate il film *Pretty Woman* (1990)? Per starsene al parco con la deliziosa Julia, il callido Richard estrae un telefono grande come un prosciutto. In diciott'anni lei è rinsavita, lui ingrassato, i cellulari sono rimpiccioliti; e noi siamo arrivati all'iPhone, passando per BlackBerry e Skype.

Visto che questo libro si chiama *Italians*, e ha proposto molti masochistici confronti internazionali, aggiungo questo. Qui in Scandinavia, in Germania e negli Usa l'architettura ha capito cosa serve all'*homo mobilis*. I «terzi posti» aumentano, gli uffici diminuiscono, o s'adattano. Le università – qui a Oslo-Blinder come a Berlino, a Seattle come a Cambridge, Massachusetts – sono una successione di nicchie, spazi, ritrovi, sedie e poltrone. Ricordo lo Stata Center del Mit, opera dell'immaginifico Frank Gehry. Se l'esterno è sconvolgente, l'interno è stupefacente. Student Street, il cuore dell'edificio, è una successione di spazi dove i ragazzi possono fare tutto: studiare, discutere, dormire, corteggiarsi o controllare la posta.

Un consiglio ai giovani connazionali che devono scegliere l'università: se in Italia trovate un posto così, andateci di corsa. Ma lo trovate?

78ª Pizza Oslo, 17 aprile 2008

DIE SPINNEN, DIE RÖMER.
SONO PAZZI QUESTI ROMANI

Sono in Svevia, e mi tocca leggere: «Umberto Bossi, entrando in Parlamento: "Se la sinistra vuole scendere in piazza abbiamo trecentomila uomini, trecentomila martiri pronti a battersi"». E verrebbero «con i fucili, che son sempre caldi». Risponde quell'altro genio dell'ex parlamentare no global Francesco Caruso: «Nel cuore del Sud ribelle ci sono trecentomila uomini con i fucili caldi che non aspettano altro che Bossi ci dica dove andarlo a prendere con i suoi sgherri padani».

Su Caruso, confesso, non ho speranze. Ma a Bossi, da lombardo a lombardo, voglio dirlo: se la pianta, ci fa un piacere. Anzi, fa un piacere a tutti gli italiani sparsi per il mondo, stanchi di sentirsi chiedere se il Paese è impazzito, se si trova sull'orlo della guerra civile. In particolare, fa un piacere a noi settentrionali: essere rappresentati come una banda di bruti è irritante. Perciò, Bossi, la smetta.

In campagna elettorale queste spacconate possono sfuggire (sarebbe meglio se non sfuggissero). Ma ormai il centrodestra ha vinto, il Parlamento è convocato, i ministri sono pronti. Quindi, Bossi: basta. Questa storia non fa più ridere. Da domenica sono in Germania (due incontri pubblici, a Tubinga e Stoccarda), e mi sono vergognato: il numero due di una coalizione di governo non deve parlare così. Se vogliamo diventare un Paese serio, cominciamo a parlare seriamente.

Die spinnen, die Römer, sono pazzi questi romani. È la frase più gettonata del momento, da queste parti: rubata a Obelix (!), ripresa dai giornali, ripetuta dalla gente. Non c'è disprezzo, ma incomprensione. Sono italiano, e credo di sapere perché il Nord abbia scelto Bossi, i romani Alemanno, gli italiani Berlusconi. Ma, all'estero, le sparate leghiste, i post-fascisti in Campidoglio e il ritorno del Cavaliere (con codazzo di amici, bellone e tv) hanno provocato sorpresa. L'Italia – a cominciare dai nuovi capi – deve rendersi conto che ha davanti un mastodontico compito di pubbliche relazioni.

Chiudersi in una permalosa autosufficienza mediatica è folle. Oggi, se vogliamo vivere nel mondo, dobbiamo rispondere al mondo. Se giornali e telegiornali italiani dovessero oscurare critiche e ironie internazionali, per non dispiacere a chi comanda, farebbero un pessimo servizio agli interessati, e a tutta la nazione (i primi segnali, purtroppo, non sono buoni).

Non ci credete? Chiedete a qualsiasi connazionale abbia messo il naso fuori d'Italia (uomo d'affari o d'azienda, diplomatico, accademico, studente, viaggiatore attento). Vi dirà come stanno le cose. In tempo di Internet e satelliti le battute viaggiano. Soprattutto le più infelici.

***

A Beirut mi hanno fatto notare che, durante le prove generali di guerra civile, i cassonetti dell'immondizia venivano regolarmente svuotati. Ad Amsterdam mi hanno sgridato perché non parlavo solo di camorra. Qui a Stoccarda mi hanno ripreso perché volevo spiegare il motivo del successo di Berlusconi, invece di condannarlo e basta.

Le osservazioni provenivano da italiani all'estero. Italiani onesti e indignati, senza dubbio. Italiani convinti che l'unico modo di spiegare l'umore e il momento del Paese sia quello di Grillo, Travaglio e Saviano (fuori tutto il marcio, e nient'altro). Non sono d'accordo, e provo a spiegare perché.

Fidatevi di uno che ha sempre la valigia in mano: il momento, per l'Italia, è pessimo. Televisione inglese, giornali tedeschi, ministri spagnoli, opinione pubblica scandinava, la Francia all'unisono: rischiamo di diventare lo zimbello d'Europa. Non solo: in Italia, ai patrioti da strapazzo si sono aggiunti gli strapazzatori della patria. I primi insistono a negare l'evidenza (corporazioni fameliche, illegalità endemica, un capo di governo insolito), e rifiutano qualsiasi critica dall'estero, per partito preso. I secondi sono convinti che ogni tentativo di fornire un'immagine tridimensionale del nostro Paese sia un modo di compiacere chissà chi.

L'Italia – l'ho già scritto – è un posto che ti manda in bestia e in estasi nel giro di dieci minuti e nel raggio di cento metri. L'Italia è la mafia vigliacca ed è Trieste in una sera di maggio. È la criminalità d'importazione e l'enorme contributo degli immigrati. È la casta furbastra – anzi, le caste – e la massa di persone che lavora con impegno, fantasia e pochi soldi. È la gente che ti frega ed è la gente che ti ascolta (talvolta è la stessa persona).

Le nostre qualità sono personali, i nostri casini corali e spettacolari. Una banca francese, uno scandalo tedesco o una guerra americana sono difficili da rappresentare in tv. L'immondizia di Napoli è un'umiliazione pronta per il *prime time* internazionale. Il danno è immenso. Il film *Gomorra* – crudo e memorabile – diventerà il sigillo della nostra infamia. A scanso di equivoci: complimenti a Roberto Saviano e Matteo Garrone, che hanno saputo raccontare e denunciare. Ma è bene sapere cosa ci aspetta, in modo da essere pronti. Non a difendere l'indifendibile, ma a spiegare che l'Italia, grazie a Dio, non è tutta qui.

Alcuni ritengono invece che, per essere onesti, sia necessario dire solo, sempre e dovunque le cose brutte (dimenticando che molte nazioni, di sé, dicono solo, sempre e dovunque le cose belle).

Ripeto: non sono d'accordo. E, per averlo ripetuto all'estero, mi sono preso del pavido, dopo essermi sentito chiamare, per anni, incosciente. Per aver detto che Mister B. è comunque il mio primo ministro (l'ha scelto la maggioranza dei miei concittadini, no?), e avergli augurato successo (non possiamo permetterci un altro fallimento), mi sono beccato pure del «cripto-berlusconiano».

C'è sempre una prima volta, nella vita. Tra poco diranno che sono calvo, sedentario e juventino.

79ª Pizza Stoccarda, 29 aprile 2008

Brevi osservazioni su un lungo percorso

Dal 1998 al 2008. Dieci anni. Su Internet quasi una vita. Il forum è nato da una proposta della direzione del «Corriere della Sera», che intendeva continuare l'esperimento iniziato con «Pensieri & Parole» di Gianni Riotta. La testata – «Italians» – è un suggerimento dell'allora vice direttore, Carlo Verdelli (oggi direttore della «Gazzetta dello Sport»), che ricordava il titolo di un mio programma televisivo. «Italians» è uno di quei nomi che fanno dire: «Come avremmo potuto pensare a qualcosa di diverso?».

«Italians» infatti non è diventato solo un marchio, e il forum più frequentato del giornalismo italiano, ma un programma editoriale, con diverse derivazioni (sulla carta e sulla rete, in radio e in tv). Soprattutto, è diventato il riassunto della nostra condizione di italiani nel mondo. Se cercate «Italians» su Google avrete circa otto milioni di risultati: i primi tre riguardano il nostro forum e le sue filiazioni. Anche il nuovo film di Giovanni Veronesi, che parlerà di italiani all'estero, avrà questo titolo. Aurelio De Laurentiis ha chiesto di poterlo utilizzare, e gliel'abbiamo concesso volentieri.

Chi fosse curioso del funzionamento del forum, e volesse conoscerne aneddoti e meccanismi, legga la postfazione di Letizia Virtuale, la cyberidentità che da dieci anni sceglie, impagina e titola il forum. In effetti si tratta di due bravi e pazienti colleghi del «Corriere» – Marco Letizia e Paolo Virtuani – che si sono appassionati a questa avventura. Insieme al rude Tex (Paolo Masia, che seleziona le lettere in entrata) hanno permesso a «Italians» di diventare quello che è. Un posto speciale dove informazione, Internet e italianità s'incontrano.

Dopo «il giro del mondo in 80 pizze» – sono socio del Reform Club e questa scommessa è partita da Londra: era destino – ecco cinque cose che ho imparato in dieci anni di viaggi, incontri e conduzione. Cose che hanno cambiato il mio modo di intendere il mestiere.

1. Il tempo del commentatore onnisciente è finito. C'è sempre un lettore – spesso, un migliaio di lettori – che su un dato argomento ne sa più di noi. Dargli spazio e ascoltarlo non è demagogia, né sfruttamento. È buon senso. C'è spazio, mercato, forse addirittura necessità di un'intermediazione, sottile e leggera. Dagli Italians arrivano ogni giorno testimonianze, critiche, opinioni e proposte; a noi tocca scegliere, ordinare, collegare, confezionare e presentare. In altre parole: unire i puntini, come in quei giochi della «Settimana Enigmistica». Ecco, se mi dicessero cosa faccio nella vita, risponderei: unisco i puntini, usando la mia esperienza e la mia intuizione. Come dire: ho imparato molto, spero di restituire qualcosa.

2. I lettori non si accontentano di leggere. Se il «nuovo telespettatore» pretende personaggi e storie che somigliano alla sua vita (e poi si becca il *Grande Fratello*), i nuovi lettori – più esigenti e sofisticati – chiedono d'essere rispettati, di capire e di parteci-

pare. Se rifiutiamo, se ne vanno. Be', in dieci anni gli Italians non se ne sono andati, anzi. Aumentano, discutono, ogni tanto litigano. Il giornalista dal pulpito, irraggiungibile e incontestabile, ha fatto il suo tempo; ma qualcuno che accetti di dirigere il traffico è utile. Da sacerdote a vigile: potrebbe essere un progresso.

3. I frequentatori di un forum come «Italians» si abituano a scrivere, a dibattere, a ripulire le proprie idee, a considerare il punto di vista degli altri. Le opinioni politiche o religiose sono diverse, la regola è una sola: si parla, non s'insulta. L'obbligo di firmare con nome, cognome, email – caso unico, che io sappia, tra i forum italiani sulla rete – costringe a prendersi la responsabilità delle proprie opinioni, e a meditarle. Degli sfoghi di «Sadomaso a San Francisco» e «Desolata a Dortmund» non sappiamo che farcene.

4. I forum su Internet diventano speciali quando sono divertenti, interessanti e utili. Adesso si chiama *social network*: be', noi lo facciamo dal 1998 (senza iscrizioni, trucchi o balzelli). «Italians», come ho ormai avete capito, è il luogo di incontro della nostra emigrazione accademica e professionale; e di chi, restando in Italia, è curioso del mondo. Età media sui trent'anni (con punte di dieci e novanta); buoni studi; una forte presenza femminile. Il forum, e le pizzate, hanno prodotto migliaia di amicizie, centinaia di coppie, molti matrimoni e diversi bambini. Non è la nostra missione; ma perché vergognarci?

5. «Italians» è frequentato da persone vere. Per 82 volte, come avete letto, ci siamo trovati davanti a una pizza in altrettante città del mondo, e ogni

volta ho potuto assistere allo stesso prodigio: noi italiani, scontenti e litigiosi in patria, all'estero ci ricordiamo della nostra nazionalità. Il Paese che ci manda in bestia e in estasi nel raggio di cento metri e nel giro di dieci minuti è il nostro Paese: e non possiamo, né vogliamo, farne a meno.

Ditemi un po' se non siamo strani.

«Italians» dai box
di Letizia Virtuale*

«Italians» è una macchina da corsa. Quale marca e quale cilindrata, non sta a noi dirlo. Se abbiamo vinto o perso, dovete deciderlo voi. Alcune cose, però, possiamo raccontarvele. Dai box, le corse si vedono bene.

Dati tecnici: quasi mezzo milione di lettere ricevute e 40.000 pubblicate, 140.000 visitatori unici (metà dall'estero). Il pilota (c'è bisogno di dirlo?) è Beppe Severgnini. Guida come vuole, attira consensi e critiche, è calmo ma ogni tanto s'arrabbia, gira il mondo, mette in fila coppe (e pizze). Come i piloti, rischia in prima persona: se qualcosa non funziona, gli Italians se la prendono con lui. È quello che ci mette la faccia. Non a caso, nella testata c'è la sua caricatura (con un impermeabile che qualcuno ha giudicato sessualmente inquietante).

Poi viene il direttore generale, quello che organizza e trova le risorse. Questo è il ruolo di Marco Pratellesi, detto Prat, responsabile di Corriere.it dal 2002. Appena arrivato a Milano da

* Conosciuti anche come Marco Letizia e Paolo Virtuani.

Firenze, s'è appassionato a «Italians», e l'ha sempre valorizzato sul sito. Anche se è il capo, questo dobbiamo riconoscerglielo.

Torniamo ai box. Fondamentali sono i meccanici. Sono i mitici grafici di Corriere.it, esperti di html e della gestione elettronica della pagina di «Italians»: si occupano materialmente dell'inserimento delle lettere e della messa online ogni mattina, intorno alle 7.30 (ora di Milano). Il disegno della pagina, e i successivi restyling, sono opera di Giovanni Angeli, quello che un giorno Bsev, in diretta web-tv, ha definito «una delle menti migliori del "Corriere della Sera"». Non l'avesse mai fatto. Chi lo tiene, adesso?

Infine c'è il capo della sicurezza: quello che osserva arrivi e partenze, sorveglia il materiale, controlla carico e scarico. Lavoro indispensabile, dietro le quinte. Nel caso di «Italians» si tratta di scegliere, ogni giorno, le lettere migliori; ripulirle se è necessario; girarne alcune a Bsev e le altre in redazione. Occorre segnalare i pochi rompiscatole che si nascondono tra i moltissimi lettori/scrittori brillanti e leali.

Il nome di quest'uomo è Tex, ed è in pista con noi dal 2000. In realtà si chiama Paolo Masia, ma gli Italians lo conoscono col nome di battaglia, anche questo frutto della fantasia perversa del pilota. Perché Tex? Spiegazione severginiana: perché fa rispettare la legge e castiga; perché è burbero (s'arrabbia, e poi perdona); perché preferisce operare da solo, o al massimo con i fedeli pards, che segretamente considera indegni di lui. Corre voce che Beppe, alta sopra la scrivania, tenga una statuetta di Tex, quello del fumetto di Bonelli. Un monito, in pratica.

Il nostro Tex è anche un collaudatore: si legge tutte le lettere (150/200) che arrivano ogni giorno alla rubrica. Sceglie le migliori (15/20) e, se necessario, le ripulisce. Oggi meno di ieri, perché gli Italians hanno imparato a scrivere – in genere – bene e chiaro. Ma «passare» le lettere è comunque necessario. «Italians» è un forum speciale anche perché pulito e ordinato (maiuscole, punteggiatura etc.). Come dicevamo, una *parte di queste lettere arrivano direttamente alla redazione, e Letizia Virtuale decide: subito in rete su «Italians» oppure in ghiacciaia per qualche giorno. Altre – quelle considerate più stimolanti – vengono girate alla cortese attenzione del pilota. In qualunque angolo del mondo si trovi – e l'uomo gira, come sapete – Beppe decide se dare una risposta breve, una risposta più lunga (centrale) o non rispondere per nulla.*

Questa è, in sintesi, la scuderia di «Italians». Per capire di più, a questo punto, occorre fare un passo indietro.

Gli esordi

Milano, venerdì 3 dicembre 1998, ore 18. Al piano sotterraneo della libreria Rizzoli in Galleria Vittorio Emanuele ci sono circa ottanta persone. Sono i proto-Italians, radunati per festeggiare il primo anniversario del forum. Ottanta persone a Milano sono poche? Be', per una rubrica online degli anni Novanta costituivano un successo. Alcuni si presentano: «Tu sei quella che ha scritto la lettera del 26 novembre? Io sono già stato pubblicato tre volte». Un sottogruppo presente alla libreria Rizzoli sono gli «orfani di Gianni Riotta», che partecipavano al forum «Pensieri & Parole». Una parte di loro era rimasta scioccata dall'abbandono del titolare, passato a «La Stampa», e non aveva seguito il nuovo conduttore. Altri, invece, avevano accettato con entusiasmo di partecipare al nuovo forum.

Tra un saluto e un bicchiere di spumante, Bsev espone i mirabolanti (per quei tempi!) numeri della rubrica: trenta lettere e un migliaio di contatti al giorno, il successo delle prime due Pizze Italians, a Londra e a New York. Letizia Virtuale se ne sta in disparte. Senza preavviso, arriva la pugnalata: «A questo punto» dice Beppe «vi presento Letizia Virtuale! Sono i due là in fondo.» Il salatino si ferma a metà strada tra il vassoio e la bocca: tutti si girano verso di noi e partono i commenti: «Ma pensa un po'... Chi l'avrebbe mai detto. *Letizia Virtuale! E io che immaginavo una bella ragazza, bionda e un po' timida».* «A me quel nome è sempre sembrato strano, a dire il vero...» *Sorriso di circostanza, pizzetta tranguiata, un'occhiataccia a Bsev, che come al solito non se ne accorge. Ma ormai è fatta: Letizia Virtuale ha debuttato in società. Addio pace e anonimato.*

Qualcuno coglie l'occasione e subito protesta: «Voi due! Perché non mi avete pubblicato quella lettera su XY? Era buona! Molto meglio di quell'altra che avete messo». *«Ma no, vedi»* cerchiamo di spiegare *«il fatto è che ne riceviamo tante e dobbiamo fare una selezione. Lo spazio è quello che è, e qualcuno inevitabilmente resta fuori. Ma non preoccuparti, continua a scrivere. Siamo sicuri che la prossima volta apparirai su "Italians".»*

Storia antica, ormai. Non ce ne rendevamo conto, ma alla fine degli anni Novanta abbiamo dato vita a un progetto che ha colto la nuova forza del web. Le ottanta persone in quella libreria sono diventate, in dieci anni, centoquarantamila, in Italia e nel mondo. Non solo. «Italians» *ha generato, a sua volta, un vero e proprio* social network. *L'obbligo di firmarsi con nome, cognome e indirizzo email, insieme a un efficiente motore di ricerca, permette alla gente di scriversi, trovarsi, conoscersi, scambiarsi visite, fare amicizie, innamorarsi (eh, sì!). Ci sono anche derivazioni del forum che operano sul campo, indipendentemente da Beppe, da noi e dal* «Corriere»: *le principali sono Italiansonline.net (www.italiansonline.net), che ha sezioni in 75 Paesi del mondo; e Italiansoflondon (www.italiansoflondon.com) che raccoglie 6500 iscritti nella capitale britannica. Anche di queste cose – diciamolo – siamo orgogliosi.*

Nomi e cognomi

Come abbiamo detto, gli Italians non potrebbero ritrovarsi se non fossero amichevolmente obbligati a firmarsi con nome, cognome, email. Tranne casi eccezionali e motivati, ovviamente.

Una di queste eccezioni avviene il 21 dicembre 1999. Dopo alcune discussioni in redazione, decidiamo di pubblicare una lettera di S. (Silvia), una docente universitaria quarantenne che chiede l'anonimato, ma annuncia la sua intenzione di togliersi la vita. «Solitudine affettiva», dice. Com'è ovvio, c'interroghiamo sulla veridicità della lettera. Queste non sono cose da prendere sottogamba.

Forse qualcuno vuole prendere in giro il forum? O attirare l'attenzione? Appurato che dietro la richiesta di anonimato c'è un caso vero (siamo poi riusciti a risalire alla sua email, anche se all'inizio non l'aveva fornita), pubblichiamo la lettera, che a noi sembra una richiesta di aiuto, la ricerca disperata di un salvagente. Il giorno dopo la redazione è sommersa da una valanga di messaggi: da chi si è trovato nella stessa situazione di Silvia a chi può offrire solo le sue preghiere a Natale.

Passano diversi giorni e Silvia, sorpresa dalle reazioni che ha suscitato, scrive di nuovo spiegando di aver superato il momento di sconforto e assicura di aver riposto i propositi di suicidio. Finale buonista per «Italians»? Purtroppo no.

Trascorrono alcuni anni, di lei più nessuna notizia. Un giorno riceviamo una lettera personale di Silvia. A metà gennaio del 2000 – ci scrive – ha effettivamente tentato il suicidio con i tranquillanti, ma per miracolo è stata salvata. E in ospedale, il secondo miracolo: è innamorata di un infermiere, col quale poi si sposerà.

Questa vicenda drammatica, sia pure col lieto fine, ci ha fatto capire una cosa. Un forum come questo somiglia alla vita. Ad alcuni momenti tristi – sono scomparsi lettori che ci seguivano da anni, come Betta Sandri, che ci ha spiegato la Russia, e Ginetta Pradolin, classe 1917, leggendaria organizzatrice della 19ª Pizza Italians di Buenos Aires – sono seguiti molti momenti felici, imprevedibili, anche divertenti. Un caso celebre fu quello di una ragazza americana, grande appassionata di «Italians», che scrisse al forum: «Va bene, sono single, ma perché tutti gli italiani che conosco ci devono sempre provare con me?». Arrivarono subito spiegazioni. Pare che la ragazza fosse uno splendore e, davanti a un italiano, mostrasse un entusiasmo esplosivo. «E chi resiste?», scrisse uno sconsolato Italian da Boston.

Vi farà piacere sapere che sono diversi i matrimoni celebrati grazie a «Italians»: persone che si sono incontrate dopo essere venute in contatto tramite il forum. Beppe ci racconta come alle pizzate – sviluppo previsto dal professor Sartori! – siano nate molte coppie. Bsev è talvolta invitato ai matrimoni; quest'anno due Italians gli hanno addirittura chiesto di sposarli con rito civile (il nostro ha declinato l'invito, spaventato dalla responsabilità). Di più: i primi bambini nati grazie a «Italians» ora stanno per entrare alle scuole medie. Non male, che dite?

Diamo i numeri

Chiusa la breve autocelebrazione (perdonateci), è il momento di tornare a raccontare. Ecco, seguendo la nostra tradizione domenicale, alcuni «numeri che contano».

In un giorno medio – durante la settimana, lontano dalle vacanze, in assenza di avvenimenti di particolare rilievo – «Italians» riceve circa 150 lettere ogni ventiquattro ore. Quando avvengono fatti di richiamo – polemiche, discussioni particolarmente sentite – le email superano le 200. Quando capitano eventi epocali (11 settembre, tsunami, guerra in Iraq), o fatti nazionali coinvolgenti (elezioni, Calciopoli, caduta di governi e crisi politiche, pasticci Alitalia, scandali, fatti di cronaca), allora è un'alluvione: anche 400 messaggi in un giorno. E in questo caso, si badi bene, l'80 per cento sullo stesso argomento.

L'organizzazione, allora, diventa fondamentale. Sembrerà

strano, e per alcuni anche impossibile e incredibile, ma le lettere che arrivano vengono lette TUTTE. È una questione di rispetto nei confronti dei lettori. Le email arrivano in triplice copia: a Letizia Virtuale (due copie) e a Tex (questo per evitare che un guasto al computer o un'indisposizione di uno di noi blocchino «Italians»). Il lavoro di selezione — imponente e delicato — grava sulle possenti spalle di Tex.

I primi tempi il nostro eroe veniva travolto da messaggi lunghissimi. Per aiutarlo, nel modulo di invio di «Italians», abbiamo inserito una dimensione massima dei testi: oggi, 2000 battute. Con le quali si può esprimere un'opinione o dare un'informazione, specialmente su Internet. La carta infatti è «lenta», la rete è «rock», per dirla con Celentano.

Una volta scelte le lettere di giornata, Tex le divide. Alcune arrivano direttamente in redazione; altre vanno a Beppe che risponde, e poi le gira a noi. Risposta lunga = lettera centrale della giornata. Risposta breve = la lettera apparirà sul forum contrassegnata da una «S» rossa. Agli Italians piace vedere una piccola «S» rossa dopo il proprio nome. Anche a quelli — e sono molti — che con Bsev si sono accapigliati, nel corso degli anni. Nulla di male: l'unica cosa che non sopportiamo sono quelli che usano gli indirizzi per spammare (molestare?) gli Italians, magari con insulti. Talvolta, purtroppo, è accaduto.

Domanda frequente: come fa Beppe, che è sempre in viaggio, a occuparsi del forum? Semplice: anche se è dall'altra parte del mondo, si ritaglia uno spazio nella giornata per controllare la casella di posta e rispondere agli Italians. Dice che gli piace, e non gli costa fatica.

La dodicesima lettera e altri segreti della casa

Da qualche anno i lettori possono inviare fotografie: ne viene pubblicata una ogni giorno come «dodicesima lettera». La scelta spetta a noi — scusate, a Letizia Virtuale. Tex e Beppe le vedono solo al momento della pubblicazione (a meno che quest'ultimo passi di qui e metta il naso nei computer della redazione). *Cosa cerchiamo in una foto?* Fantasia, freschezza, testimonianze. Spesso pubblichiamo anche ritratti (ma basta foto di neonati!). Vengono scartate – ovviamente – le immagini non originali, cioè scaricate dal web. Non è la qualità della foto in sé a essere una discriminante. A volte sono state pubblicate immagini scattate coi telefonini, magari un po' sfocate: però avevano i requisiti. *Letizia Virtuale* – diciamolo – è esigente. Poiché pubblichiamo una sola foto al giorno, cerchiamo di sceglierla bene.

Torniamo al forum. Talvolta Bsev dà indicazioni precise sui giorni di pubblicazione, ma questo avviene solo per le lettere centrali. Per tutte le altre lettere e per la foto, la scelta è nostra. Quando non ci siamo, i colleghi di Corriere.it danno una mano (grazie!). Quindi, in ultima analisi, «Italians» può essere considerato un prodotto dell'intera redazione.

Sappiamo cosa state pensando: «D'accordo, ma come farsi pubblicare? Se arrivano 200 lettere al giorno, e ne vengono pubblicate 11 (più una foto), le probabilità sono poche...».

Be', sì e no. Come Tex ben sa, molte lettere sono sfoghi (alcuni comprensibili, altri meno). Altre sono personali per Beppe (inviti, insulti, complimenti, critiche, proposte di matrimonio). Alcune – diciamolo – sono così sciatte da non poter essere prese in considerazione. Moltissime, come dicevamo, si occupano dello stesso argomento e si elidono a vicenda. Diciamo che la selezione vera e propria avviene su una sessantina di lettere. Una probabilità su cinque, dunque.

Consigli per la pubblicazione

La scelta avviene in base ad alcuni criteri:

1. *attualità*
2. *originalità*

3. *interesse*
4. *continuità*
5. *chiarezza*
6. *sintesi*
7. *civiltà*

È vero che talvolta appaiono lettere mal scritte o aggressive: sono le eccezioni che servono a dimostrare la regola, che è quella elencata sopra.

Cosa vuol dire attualità (1)? Vuol dire tempismo, senso della notizia, capacità di «essere contemporanei». Gli Italians lo sanno fare: perfino troppo. Ecco allora l'importanza di un punto di vista originale (2). L'originalità – badate bene – non è la stravaganza. Spesso vuol dire solo «tornare alle origini» (permettete una citazione dell'architetto Antoni Gaudí?). Originale è chi sa cogliere il nocciolo del problema e lo tratta in maniera nuova e brillante. Il nostro tentativo è far comprendere, attraverso le lettere, la complessità del tema. «Italians» non è un forum confessionale, dove il passatempo preferito è darsi ragione a vicenda e prendersela col vasto mondo. Il nostro sogno è che qualcuno, leggendo un'opinione ben argomentata, cambi idea. O, almeno, si faccia venire un dubbio.

Naturalmente non basta. La lettera deve anche essere interessante (3). Montanelli diceva a Beppe che «la noia è il peccato mortale del giornalista». Ebbene: vale anche per chi scrive a un forum internazionale come «Italians». Perché annoiare chi apre il computer durante la prima colazione a Pechino, nella pausa-pranzo a Perugia o dopo cena a Pasadena?

Come essere «interessanti»? Con la freschezza, il ritmo, la passione, la fantasia, magari l'ironia. È utile saper raccontare qualcosa che gli altri non sanno: una notizia, un punto di vista, meglio ancora un'esperienza personale. Una buona cronaca dice più di un modesto editoriale (una tentazione dell'animo umano).

È utile anche portare luce nuova su un argomento trattato

nei giorni precedenti su «Italians». E siamo alla continuità (4). Esistono filoni che, nel corso di questi anni, hanno avuto grande successo. Studi e lavoro all'estero, lavoro e retribuzioni, coppie miste, condizione della donna, politica comparata, partenze e rientro in Italia, servizi pubblici, trasporti. Gli Italians, come ricorda Beppe nell'introduzione di questo libro, «amano misurarsi col mondo, per imparare e migliorare».

Siamo al punto cinque: la chiarezza espositiva (5), che quasi sempre segue la chiarezza di pensiero. Unita alla capacità di sintesi (6) produce meraviglie. Ricordate la regola delle regole, tanto cara a Bsev? «Tutto quello che non è indispensabile è dannoso.» Così è. La buona scrittura è asciutta ed essenziale. Non è un ricamo: è una virtù necessaria a far passare il proprio punto di vista. In dieci anni, gli Italians hanno imparato a scrivere: i miglioramenti sono evidenti. Molti di voi, leggendo una propria lettera sul forum, si saranno resi conto però che è intervenuto un leggero editing. È uno dei compiti di Tex, forse il più impegnativo. «Italians» ha adottato il criterio dei grandi settimanali internazionali: un ritocco stilistico è legittimo, se rende la lettura più scorrevole.

Buona scrittura non vuol dire buona educazione: esistono autori magistralmente volgari. Ma su «Italians» noi chiediamo civiltà (7): vietate offese e invettive. Questo non significa che non si possa criticare Beppe, la redazione, il «Corriere», altri lettori o personaggi pubblici. Occorre però argomentare, non insultare. Qualcuno purtroppo si ostina a non capirlo, e crede che Internet consenta la libertà d'infangare il prossimo. Altrove, purtroppo, è così. Su «Italians», no. Esistono personaggi che, in questi anni, hanno provocato grandi passioni e grandi controversie (due nomi su tutti: Silvio Berlusconi e George W. Bush). «Italians» è uno dei pochi luoghi del web dove ammiratori e detrattori si confrontano. Di questa civiltà siamo orgogliosi.

Lo siamo altrettanto di voi, cari Italians. Da dieci anni siete i nostri compagni di strada. Possiamo dirlo? È stato un gran bel viaggio

Indice

Beppe Severgnini ha raccolto l'invito della campagna
"Scrittori per le foreste" promossa da Greenpeace.
Questo libro è stampato su carta riciclata senza cloro
e non ha comportato il taglio di un solo albero.
Per maggiori informazioni: http//www.greenpeace.it/scrittori/

Finito di stampare nel mese di settembre 2009 presso
il Nuovo Istituto Italiano d'Arti Grafiche - Bergamo

Printed in Italy

ISBN 978-88-17-03578-1